HSPサラリーマン

人に疲れやすい僕が、楽しく働けるようになったワケ

春明力
Haruake Chikara

Clover
クローバー出版

※本書は、２０１８年1月刊行『話すことが怖い。でも一人にはなりたくないんだ。』（弊社刊・産学社発売）の新装版です。

「今まで、散々話してきました。
だけど…。」

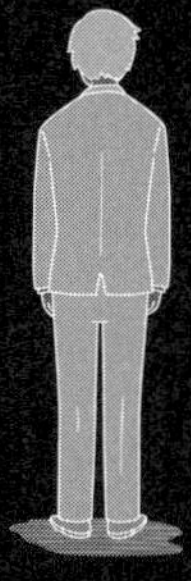

「無視されて、否定されて…、
傷つけて、傷つけられて…。
だから、もう話すのが怖いんです…。」

「…優しいんですね。」

「…え？」

「怖くなるほど、人を大事に思ってるんですね。」

「…でも…。」

「もう、大丈夫です。
これから、きっと話すのが楽しくなりますよ。
そして、人生はもっと幸せになりますよ。」

「…今まで、ダメだったのに？」

「今まで、知らなかったからですよ。
だから、今から知ればいいんです。
大事に思うだけじゃなくて、
大事にできる方法を…。」

プロローグ　*Prologue*

その人の目は乾いていた。この3週間、ろくに眠れなかったからだ。

〝笑っていてほしい〟

そばにいる人も、同じ電車に乗る人も、道ですれ違う人も、笑っていてほしい。

その夢を叶えるために、この1年、自ら立ち上げた会社で必死に働いてきた。会社は急成長を遂げ、マスコミにも少しずつ取り上げられるようになった。

そして、講演会の依頼が来た。

たくさんの人に伝えられるチャンスだと思ったその人は、その依頼を快諾した。

…その講演会まで残り10分。会場には、1000人を超える人が集まっている。

それなのに、まだ何を伝えるべきか迷っていた。

ろくに眠らず1か月以上かけてつくった講演原稿もしっくりきていない。

――ピコンッ！

ため息をつきかけたその時、スマホからＬＩＮＥの着信音が聞こえた。

数分後、繰り返しＬＩＮＥのメッセージを読んだその人は、時計を確認し、講演会のステージに向かって歩き出した。

「あなたが悲しいと自分も悲しくて、…あなたが嬉しいと自分も嬉しい…か。」

そう呟いたその人は、手に持っていた原稿をぐちゃぐちゃに潰して、ゴミ箱に放り投げた。

ステージの脇に到着したと同時に、自分の名前が呼ばれ、会場に拍手が鳴り響く。

その拍手の中、ステージへ向かって歩き出した。ステージの中央に立った後、目を閉じて、拍手が鳴りやむのを待った。そして、マイクの前で口を開いた。

「今日は、僕に希望をくれた大事な人の話をさせてください。」

そう言って、前を向いたその人の目は潤んでいた。

Contents

第一章　僕がコミュ症になるまで

第二章　僕ががんばってきたことに気づくまで

第三章　僕が世界の見方を変えられるまで

第四章　僕が幸せをつくれるようになるまで

Contents

第五章　僕があの人の希望になるまで

第一章

僕がコミュ症になるまで

1．話したくないんじゃなくて、言葉が見つからないんだ。

朝、玄関を出た瞬間から、もう家に帰りたくなっている。

そう思ってしまっているせいか、一日がやけに長く感じる。

通勤中も、同じ電車に詰め込まれたサラリーマンたちの疲れている顔を見ていると、ひどく疲れる。目を逸らして、車窓に映った自分の顔がそれと同じだと気づいて、もっと疲れる。

仕事中もずっと疲れている。テンションが高い人と一緒にいても、無口な人と一緒にいても、気を遣って疲れる…。


とにかく人に疲れている。

そうして、クタクタになって家に帰って、やっと一人になれたと思った瞬間に、眠ってしまう…。そうして、無価値な僕の無価値な毎日が過ぎていく。


――ピコンッ！

コンビニの5倍ほどの大きさのチキンカツが160円で売っている総菜屋。バナナが一カゴ100円で買える八百屋。Tシャツが50円で売られている洋服屋…、頻繁にテレビの取材が訪れる激安商店街が有名な東京の北区、十条。

駅から、その商店街を通り過ぎて、5分ほどの場所にある、学生らしき若者ばかりが住んでいる1ルームしかない4階建ての5万円のアパート。僕は、そこに8年間住んでいる。

その僕の部屋に、LINEの受信音が鳴り響く。

『本当、一人好きだよね。』

2時間ほど前に、『遠慮するね。』と大学時代の友達の誘いを断ったその返信だった。

…違う。わかってない。

一人が好きなわけじゃない。一人でいるのが楽なだけだ。

☆

就職した直後から、仕事がストレスだった僕にとって、週末の友達との飲み会はいい息抜きだった。…だけど、みんな学生の頃から、少しずつ変わっていった…。

仕事の自慢話、昇進の話、昇給の話。結婚の話、妊娠の話、子育ての話…。

そういう話が徐々に増えていった。そういう話と縁がない僕にとっては、ただただつまらない時間が増えていくだけだ。

そんなある日、飲み会に遅れていったことがある。

僕が部屋に入った途端、話が止まった。


「もっと遅く来ると思ってたよ。」

そう言われながら、迎えられた後、

「なんの話してたの?」

と訊いてみたけど、みんなから苦笑いでごまかされた。悪口に違いなかった…。

そういう場面に出くわしたことは何度もあった。みんなで誰かの悪口を言っている時に本人が来て、慌てて話題を変える。だけど、その悪口が自分に向けられることは、なぜか想像していなかった…。

それ以来、悪口を言われないように、飲み会にはすべて出席するようにしたたし、絶対に遅刻しないようにした。だけど、ますます楽しくなくなった。楽しくもないのに、わずかな給料からお金を絞り出して、休みを使って、体力を使って、参加することがバカらしくなった。

そして、みんなと別れた後に、ホッとしている自分に気づいてから、大学の時の友達とは疎遠になった。

プライベートの飲み会は、行かなければいい。

だけど、仕事の飲み会はそうはいかない。

「つまんないですか？」

今まで何度そう言われたか数えきれない。職場の飲み会やお客さんとの飲み会で、半年に1回のペースでそう言われてウッとなってしまう。

つまんないんじゃなくて楽しませる言葉をいつも考えている。だけど、その言葉が見つからなくて話せないだけだ。

「つまんないなら帰れば？」

中にはそんな160キロクラスの直球をぶつけてくる強者もいる。確かに、その時、スマホをいじっていた。でも、それも周りに気を遣わせないようにスマホに夢中になっているフリをしていただけなんだ。

最近は、「偏頭痛持ちで」という嘘で場を収めるようにしている。信憑性を持たせるために、使う当てのないバファリンまで持ち歩いている。

☆

鈴木達也、30歳。ウェブサイト制作会社の営業部で働いている。

だけど、8年前に今の会社に入ってからろくなことがない。

就職活動をしている時、履歴書の特技の欄に書けることがなかった。仲が良かった友達の履歴書を見せてもらうと、『英会話』と書かれていた。「こいつ…。」と思った。

一緒にいる時に、外国人に道を訊かれて、

「ゴーストレート（この道をまっすぐ）」を

「ゴーアウェイ（立ち去れ）」と言って、

「ファッ○ユー！」と言われていたくせに…。

こいつは何も考えていない。もし、将来通訳とかやらされたら？　海外赴任とかすることになったら？　一生、履歴書の特技の欄に『英会話』と書いたことを後悔するはめになるのに…。

僕は恥をかきたくない。そして、それ以上にがっかりされたくない。だから、特技の欄に『なし』と書いて履歴書を提出した。

その結果、書類選考で30社以上に落とされ続けた。

「たった2、3枚の紙きれで一体何がわかるんだろう？」

友達にそうボヤいたら、

「パパッと見て、判断してるらしいよ。」

と言われた。

パパッと見るだけなら…。そう思って、特技の欄に、学生時代にやっていた『ブレイクダンス』と書いて提出した。そして、初めて面接まで進み、内定を唯一もらったのが今の会社だ。

☆

「鈴木君、ブレイクダンスやってよ！」

新入社員の歓迎会で部長からそう言われた。その時まで、履歴書に『ブレイクダンス』なんて書いたことをすっかり忘れていた。というかなんで部長は覚えてるんだ！パパッと見てるんじゃなかったのか？　本気でファッ○ユー！だ。

頭をフル回転させて、部長の無茶ぶりをごまかすための理由を探した。

本当に無茶だった。ブレイクダンスはバランスと筋力が必要なダンスだ。逆立ちしたり、首で全身を支えたりする。1か月休むだけで、感覚を取り戻すのに1週間はかかる。それなのに、僕は5年以上踊っていなかった。

だけど、特技の欄に書いてしまった以上、その言い訳は通用しなさそうだ。

「…部長、音楽がないと踊れないんですよ。」

やっとのことでひねり出したその答えを部長は、自分へのフリだと勘違いした。結局、部長の十八番の10年以上前に流行ったポップソングに合わせて踊ることになった。…地獄の始まりだった。

案の定、リズムは取りづらいし、体は重い。それでも、なんとか差し障りなく踊りきった。だけど、グルグル回るのを期待していた周りからの拍手は微妙で、「なんだ…。」という声もかすかに聞こえた。

『なめるんじゃないよ。』酒が入っていたせいもあって、火がついてしまった。

体の隅々まで酒が回った状態で頭で回ろうとした。頭を床についた途端、

「おおーー‼」

という歓声が聞こえた。

『見てろよ！』その歓声に勢いづいた僕は、逆さまになったまま思いっきり体を回し

た。

次の瞬間、ボキッという音が響いた。次に、女性社員の甲高い悲鳴も響いた。

…骨折していた。5年間のブランクはやっぱり大きかった。時間を巻き戻して調子に乗った自分に、こう言ってやりたい。

「なめるんじゃないよ！」

次の日から、1か月間入院するはめになった。退院して出社した時には参加する予定だった新人研修も終わっていた。

「あっ、首折り人だ。」

同期からそう言われてクスクス笑われた。そして、明らかに仲良くなっている同期を見て、ますます時間を巻き戻したい欲求に襲われた。

☆

この8年間、会社に居場所がないと感じている。

営業部に配属されている僕の成績は下の下。成果報酬制のせいで、給料は15万円にも満たない。貯金どころか生活は毎月ぎりぎりだ。これじゃあ、結婚なんてできない。

…まあ、それ以前に相手もいないけど。

学生時代から20キロも増えた体重のせいでたるみきった顔、ズボンの上にのるお腹、股ずれする太い足…、そんな誰からも愛されない外見だけでも十分なのに。人見知りに加えて、あまりに乏しいコミュニケーション能力…。

…ハンデあり過ぎて、嫌われることも納得だ。だから、最近はこう思っている。


どうせ終わる関係だから、最初から始まらない方がいい。

2. 大事な人ほど、大事なことほど、伝えることが怖くなる。

『達也だよね？　青希《あおき》だけど、久しぶり！』

その文字がスマホに表示された瞬間に、心臓が耳に貼り付いたかと思うほど胸の鼓動が大きくなった。

最近お風呂で無意識に揉んでしまっているお腹の贅肉。最近は、愛着すら感じてしまっているその贅肉は昔はなかった。それどころか、僕の腹筋はバキバキに割れていた。

それはブレイクダンスをやっていたからでも、筋トレをしていたからでもない。

ずーーーっと笑っていたからだ。

そして、腹筋が割れるほど笑い続けていたのは青希がいたからだった。

あの時間が人生で一番楽しかった。

☆

「長崎市からどれくらい？」
「車で1時間半くらい。」
「…遠いね。」
今まで、何度この会話を繰り返してきたかわからない。長崎市から車で1時間半のド田舎、長崎県の西海市で、僕は18年間を過ごした。

海や川や山。自然がいっぱいで、というか自然しかない…。遊園地どころかゲームセンターもない。コンビニに行くにも車が必要。そんな街だったので、部活に夢中になるか、漁師や農家の親の手伝いに駆り出されるか、テレビゲームに夢中になるか、その3つしか僕たち子供には選択肢がなかった。

なのに、部活にも入らず、親が漁師でも農家でもなくて、テレビゲームも買ってもらえない僕はゴロゴロし過ぎて、小学3年生の夏休みで体重が5キロも増えるほど暇を持て余していた。そんなダラダラ過ごしていた小学3年生の春に、初めて一緒のクラスになったのが藤原青希だった。

青希は、小学3年生にしては大人びていた。当時、思春期真っ只中の男子の中で、女子に対して、にこやかに話しているのは青希だけだった。

先生に対してもそうだった。当時、授業中に手を挙げるやつなんて先生に媚びていると見なされていた。だけど、青希は興味があることは手を挙げて質問していた。そして、先生を喜ばせていた。

それなのに、青希は誰からも嫌われていなかった。いじめられることもなかった。それどころか、みんなから好かれていた。言いたいことを言って、訊きたいことを訊いて、やりたいことをやる。

そんなできそうで、だけどできないことができる青希は憧れられていた。そして、僕自身が誰よりも青希に惹かれていた。

だから、青希から「達也」って初めて名前を呼ばれた時は、天にも昇る気持ちだったし、放課後に、青希の家に初めて誘われた時は、好きな子の隣の席になった時以上に胸が高鳴った。

そして、青希の家に着いた後、それ以上に胸が高鳴ることが起きた。

☆

「達也、ダンスやらない？」

青希からそう言われた瞬間、意味がわからなかった。

ポカンとしていた僕に、青希はビデオを見せてくれた。そのビデオには、外国人がたくさん出てきた。その人たちが逆立ちして回ったり、片手で体を支えたまま、ピタッと止まったり…。

同じ人間とは思えないほどスピーディーで華麗な動きをしていた。

その姿に、僕は一瞬で虜になった。それが僕とブレイクダンスの出逢いだった。

僕が部活に入らなかったのは運動神経が悪く、バカにされるのが怖かったからだ。それなのに、ブレイクダンスの方が部活よりもよっぽど難しそうだったのに、僕はその日からブレイクダンスを始めた。来る日も来る日も青希の家の海風でさび付いているガレージで練習し続けた。

その生活は小学3年生から高校2年生までの8年間続いた。最初は見るに堪えなかった僕のダンスも、それなりに上達した。そりゃあ、それだけ練習すれば誰でもうまくなる。

ブレイクダンスはアメリカが発祥地だ。ギャングの抗争の決着を銃撃戦の代わりにダンスでつけるようになった。それがブレイクダンスの起源だと青希に教えてもらった。

1対1や2対2で戦う場合もあれば、3人以上のチームで戦う場合もある。いずれにしても、なんの曲がかかるかは踊り出す直前までわからない。だから、ダンサーも曲に合わせてアドリブで踊る。ブレイクダンスに正解も不正解もない。膝が曲がっていても、背中が曲がっていても良い。回転してもしなくても良い。美しければ良い。すごければ良い。観ている人が感動すればなんでも良い。

どこまでも自由で、だからこそ、どこまでも追求できる。それも、僕がブレイクダンスに夢中になった理由のひとつだ。

ダンスを始めて1年ほど経った後、青希と一緒に大会にも頻繁に出るようになった。1対1のトーナメント制の大会が多かったけど、それに出ることは結局一度もなかった。というか、自分一人では勝てる気がしなかったから避けていた。

だから、青希と一緒に出場できる2対2のトーナメント制の大会しか出なかった。青希は、1対1の大会に出ても絶対に優勝できる実力だったのに、なぜか2対2の大会にしか出なかった。多分、僕に気を遣ってくれていたんだと思う。

小学生の頃は1回戦負けばかりが続いた。だけど、中学生になると勝てるようになった。優勝したことも何度かあった。全部、青希のおかげだった。

あの頃は本当に楽しかった。

長崎の夏はとにかく暑い。海が近くにあったせいで、暑いだけじゃなく蒸していた。練習の疲労で震える体に、大量の汗で重くなったシャツとズボンが、いつもしつこくまとわりついていた。

高校2年生の夏休みは、特にハードだった。午後2時から、日が暮れてガレージでは踊れなくなる7時過ぎまで、毎日5時間練習し続けた。だけど、もっともっと踊り続けていたかった。

世界大会の予選突破。それが僕らの長年の目標だった。

日本での予選を突破すると、日本代表として、ずっとビデオで見続けていたトップダンサーたちと同じ大会に出られる。そして、大観衆の前で同じ舞台に立つことができる。まさに夢の舞台だった。

その予選は、毎年、東京で開催されていたせいで、ずっと参加することはできなかった。だけど、高校2年生になったその年、僕も青希も、やっと親から東京に行く許可をもらえていた。そうして、ようやく巡ってきたチャンスに心まで踊っていた。

だけど、その楽しい日々は、憧れの東京に行く前に、突然終わった…。

☆

「あの人と対戦するかもよ！」

「うわー！　そうなったら、やばっ!!」

ビデオで見て憧れていたダンサーたちと対戦できるのを妄想して、僕らは毎日浮かれていた。そして、その妄想を現実にするために、僕と青希は、予選に向けてそれまで以上に練習に打ち込んでいた。

いよいよ明日に世界大会の日本予選を控えたその日。昼の2時から、いつも通り青希の家のガレージで練習の予定だったのに、僕はすっかり寝過ごしてしまった。人の気配を感じて目を開けると、目の前に青希の顔があった。青希はわざわざ僕の家まで起こしに来てくれていた。壁に掛けてある午後3時と表示されている時計を見て、気まずく謝る僕に、「寝つけなかったんだろ?」と青希は笑った。

「うちで待ってるから、ゆっくり準備して来なよ。」

そう言い残した青希は先に帰っていった。その後、僕はシャワーを浴びて、慌てて家を飛び出した。

青希の家のガレージに着くと、先に着いているはずの青希の姿がなかった。

最初は、トイレでも行っているんだろうと思ったので、大して気にもとめず軽めに踊り始めた。だけど、30分が過ぎても青希は一向に姿を現さない。さすがに心配になって青希の家のインターホンを鳴らした。だけど、いくら待ってもなんの反応もなかった。

仕方がないので、ガレージに戻って踊った。青希の携帯にも何度も電話したけど繋がらなかった。そうしているうちに、胸のあたりにあったかすかな不安が大きくなっていった。

—ガツ！

いきなり肩を乱暴に掴まれ、強引に振り向かされた。一瞬青希がふざけているのかと思ったが、振り向いた先には青希のお母さんの顔があった。毎日遅くまで仕事をしているおばさんが、この時間に帰ってくるはずがないのに…。

でも、それ以上に驚いたのは、典型的な優しいお母さん、そんなイメージのおばさんの強張《こわば》っている、いや、怖がっている表情を初めて見たことだった。

「…おばさん、青希は？」

息を切らしているおばさんの答えを待った。

「ハアハアハア、青希が…。」

「…。」

「…青希が車に轢かれたの…。」

言葉を、喉の奥から無理やり引っ張り出している。そんな感じだった。

多分、おばさんは、僕を青希と間違ったんだろう。だから、僕の肩を掴んで振り向かせた。そして、がっかりしたはずだったのに、病院へ急がなきゃいけなかったのに、僕に答えてくれた。

…それなのに、僕は返事すらできなかった。

その日から1週間後、何もできず引きこもっていた間抜けな僕に、青希のお母さんから電話があった。電話の後、教えてもらった病院にすぐに自転車を走らせた。

☆

病院までどれくらいの時間がかかったのか？　青希の病室は何階だったのか？　どんな部屋だったのか？　どんな顔で病室に入ったのか？　全部思い出せない…。思い出せるのはベッドに横たわっている青希の姿だけだ。

病室で青希を見た時、最初はそれが青希かどうかわからなかった。青希の顔には、大きなガーゼが貼られていたけど、それでは隠すことができない傷が顔の至る所にあった。夏用の半袖の病院服のせいで、腕に巻かれている包帯も目立った。暑かったせいか、掛布団はベッドの横に置かれていて、そのせいで青希の足が見えた。いや、左足だけが見えた。…右足はいくら探しても見当たらなかった。

…青希の右足がなくなっていた。事故で右足の膝から下すべてを失っていたのだ。

しばらく青希を見ているうちに、気づくと呼吸が苦しくなっていた。そして、夏なのに体中が震えて、それなのに大量の汗が床に落ちていた。そんな僕を見かねたおばさんに促されて病室を後にした。

家に帰ってからも、ずっと青希の姿が頭から離れなかった。

右足をなくしてしまった姿も。感情が見えない顔も。一度も僕の方を見ることなく、ずっと天井を見続けていた瞳も…。

「…青希を励ましてもらいたいの。」

それから数日後の夜遅くに、また青希のお母さんから電話があった。電話越しでも、おばさんの声が枯れていたことはわかった。

翌日、病院に行くと青希は起きていた。だけど、ずっと窓の外を見ていて一度も目が合うことはなかった。

そんな青希を見ていると、まるで自分がこの世界から消えてしまったかのように感じた。

「青希…、大丈夫だよ…、がんばって…。」

気がつくと、呆れるほど頼りない声で、僕は青希に話しかけていた。

「…もう、達也には関係ない。」

青希からその言葉が返ってきた後のことはよく覚えていない。目に映る世界が真っ暗になったこと以外は。

その翌日、僕はまた青希の病室に行った。だけど、青希が寝ているはずのベッドには誰もいなかった。まるで、昨日までの出来事が夢だったかのように、布団もマットレスもすべてが空っぽに片づけられていた。

「リハビリ施設に移ったよ。」

昨日、一部始終を気まずそうに見ていた隣のベッドのおじさんが、気の毒そうに教えてくれた。その後、長い長い夏休みが明けて学校に行った時、ホームルームで青希が高校をやめたことを担任から聞かされた。それからずっと青希には会っていない。

今でも、あの日を後悔している。「大丈夫だよ。」なんて言わなきゃよかった。何が大丈夫なのかなんて僕もわからなかったのに…。「がんばって。」なんて言わなきゃよかった。何をがんばるのかなんて想像すらつかなかったくせに…。もしその言葉を口にしなかったら、青希はいなくならなかったのかもしれない。

あれ以来、僕は言葉が怖くなった。
大事な人ほど、大事なことほど、僕は伝えることが怖くなる。

3. 言葉が怖い本当の理由は？

『達也だよね？　青希だけど、久しぶり！』

なぜ今頃、青希から連絡が？　何かあった？　もしかしたら僕を恨んでて…。いや、今頃になってそんなことは…。でも、もしかしたら？　とりあえず返信しよう。でも、なんて返信すれば？

そんなことを1時間近くも考えた挙句、〝久しぶり！〟とだけ返した。その後10分間返信がなくて気を悪くさせたかと怖くなって、気持ち悪いほど笑顔のスタンプを送った。

『今まで連絡しなくて本当にごめん。達也に会いたいんだけど、会ってくれる？』

スタンプを送ってからすぐに青希から返信が来た。

何度かやり取りをして、青希が高校時代の友達から、わざわざ僕のＬＩＮＥのＩＤ

を訊いてくれたことや青希が東京に住んでいることを知った。

驚いた。まさか、青希が東京に出て来ているなんて想像すらしていなかった。

２週間後の土曜日に青希と会う約束をしてＬＩＮＥを終えた後、左手がやけに疲れていた。気づかないうちにスマホを強く握り続けていたみたいだ。

次の日から、僕はダイエットに励んだ。こんな顔で、こんな腹で青希に会えない。少しでも痩せたかった。生ぬるいやり方だと失敗するのは経験済みだった。

そこで、生まれて初めての断食をしてみることにした。最初は行けそうだと思ったけど、断食２日目の夜にめまいに襲われた。フルーツだったら新鮮だから大丈夫だと無理やり理由付けして、リンゴを大量に食べた結果、断食前よりも体重が増えた。

その後、「無理はいけない。」と自分に言い聞かせて、バナナダイエットとロングブレスダイエットを組み合わせてやることにした。大量のバナナを食べた後に、ロングブレスダイエットをしたらバナナまで吐いた。…心が折れた。

結局１キロも落ちることなく、あっというまに２週間が過ぎた。

☆

自宅がある十条から埼京線に乗って大崎方面に向かうと、板橋、池袋、新宿、渋谷…と一駅ごとにまったく違う顔をした街が現れる。それは、乗り降りしていく乗客にも表れている。

特に、渋谷と恵比寿は一駅しか変わらないのに、まったく違う。

『若者の街　渋谷』、『大人の街　恵比寿』。テレビでよくそう表現されている通り、渋谷で派手な恰好をした若者たちがほとんど降りた。

そうして残った大人たちと一緒に、僕も恵比寿で電車を降りた。

待ち合わせ場所の恵比寿像前に着いたのは5時。青希と待ち合わせた6時まで、まだ1時間もあった。

僕は決して時間より早めに動くタイプじゃない。だけど、もう二度と遅刻は嫌だった。青希が右足をなくした日、自分が遅刻しなかったら？　今まで何百回…いや、何千回も、その問いが頭をよぎっていたからだ。

…それにしても、1時間前は早過ぎた。

昨晩は、ろくに眠れなかった。どんな顔して会えば良いのか？　どんな言葉を伝えれば良いのか？　考えては混乱し、考えては混乱した。だけど、結局、最初に青希にかける言葉すら見つけられず、ただただ疲れる夜を過ごした。

だけど、ちっとも眠くはない。待ち合わせ時間まで30分を切ったあたりから、忙《せわ》しなく目を動かして頭を振り続けている。こんなに集中している時間はいつ以来だろう？　僕は人ごみの中から必死で青希が乗っているはずの車椅子を探し続けていた。

車椅子を前かがみで探し続けて、20分ほど経った時、隣に立っている2人組のOLから白い目で見られている気がした。

2人は、僕に聞こえない声でコソコソと話し、クスクス笑っていた。このコソコソ話とクスクス笑いが聞こえると、いつも自分のことを話されていると思って気分が重くなる。

仕方なく、膝を痛めているフリをして屈伸をしながら、青希を探そうとした。

「いててて、あーあ。」

と隣のOLたちに聞こえるように声を出して膝を曲げた瞬間、頭の上から声が降ってきた。

「達也??」

びっくりして、ぐんと直立した僕の目の前に青希らしき顔があった。周りを見渡しても車椅子はない。思わず「嘘？　なんで…。」という言葉が口から出ていた。

「ああ、義足だよ。」

全力で青希の右足を直視している僕に青希は笑いながら、そう答えた。

「…ああ、義足か。」

驚いたのに大したリアクションもできない自分がつくづく嫌になった。


色々とたるんでしまった自分とは違って、青希はまったく変わらなく見えた。いや、昔よりも精悍な顔つきでバランスの取れた体をしている。まるでアスリートのようだ。「ああ、義足か。」の後の言葉に迷っていると、青希がいきなり抱きついてきた。義足のせいでふらついたのかと思ったけど、何をどうして良いのかわからずに、ただただ邪魔にならないように直立しっぱなしだった。男同士の抱擁を異常だと思ったのか、青希の肩越しにさっきのOLたちのマスカラで大きくなった目がさらに見開かれていた。

「…達也、会いたかった。」

青希の声が耳のすぐ横から聞こえた瞬間に、僕の中でＯＬたちの存在はすっかり消え失せた。

…僕は、言葉が怖い。

でも、怖いのはそれが大事なことだと思っているからなのかもしれない。

『会いたかった。』

そのたったひとつの言葉だけで、こんなに救われているのだから。

涙がこぼれないように上を向いて目を閉じた。数秒後、まぶたに冷たさを感じて目を開けると、視界いっぱいに白い雪が広がっていた。

4.「関係ない。」って言われても…。

雪は、それ自体が嘘だったかのように、ものの5分で止んだ。もう、誰も傘をさしている人はいないし、青希も傘をたたんでいる。そのたたんだ傘を杖代わりにして、足を引きずるように歩いている青希を見ると、若干呼吸が苦しくなる。

2人で歩いているうちに、すれ違う人たちにちらちら見られていることに気がついた。中には、通り過ぎた後に振り返ってまで見ている人もいる。

最初は、青希の歩き方を好奇心で見ているんだと思った。だから、久しぶりに何度も人をにらみつけた。

だけど、よくよく見ていると、その人たちの表情は憐れみのそれじゃなかった。その視線は足ではなく青希の顔に集まっていた。

青希は昔からイケメンだった。男の僕でも、じっと見つめられるとドキッとしてしまうほど綺麗な二重の目と長いまつ毛。鼻筋もスッと通っている。髪の毛は、何もしてないのにセンスが良いパーマがかかっているみたいで、寝癖がついてる時でさえオシャレに見えた。

ジャニーズのファンクラブに入っていた中学の同級生の女の子は、いつも青希を「ジャニーズ系」だと絶賛していた。恋愛経験が豊富だと自ら言い回っていた高校の同級生は、一番好きだった元彼に似ていると言っていた。

要するに、青希は誰からも好かれるような顔だった。そして、30歳になった今も、それは変わらない。通り過ぎる人たちは憧れの目で青希を見ている。


「ここだよ。」

そう青希が言った瞬間、店に向かっていたことを思い出した。


5階建ての雑居ビルの1階にあるお店。その扉を開くと、贅肉で埋もれた胃が痙攣するほど美味しい香りがした。

席と席の感覚が広いせいか、一見高級店にも見えるし、オシャレで落ち着ける雰囲気のお店だ。お店選びのセンスなど持ち合わせていない僕は、青希がますます羨ましくなった。

「嫌いなものとかある?」

慣れた様子で壁に掛かっているハンガーにコートを掛けている青希からそう訊かれたので、「お任せで。」と答えてトイレに立った。

僕が一人で過ごすようになった理由はもうひとつある。それは食べ物の好き嫌いが多いからだ。大学の時も、勤めるようになってからも、とにかく色んなお店に連れて行かれた。

フランス料理は高いから嫌いで、イタリア料理は太るから嫌い。タイ料理、ベトナム料理、メキシコ料理…、全部受け付けなかった。というか、区別すらつかなかった。居酒屋だけが唯一大丈夫だ。だけど、なぜか居酒屋に行くたびに、みんなイカばかり頼む。イカは嫌いじゃないし、むしろ好きだった。だけど、これだけ頼み続けられると、さすがにきつい。

トイレから戻ってくると青希が楽しそうに店長と話していた。店長も楽しそうに青希と話している。そうしたら、他の店員も会話に入ってきた。青希は、一人一人と親密そうに会話している。

「店長、新メニューうまくいった？」

「どんなことしたの？」

「彼氏と仲直りした？」

「なんて言ったの？」


青希はわざわざメモ帳まで取り出して相手の話をメモしている。なんのために？と首を傾げていると、メモを取り終わった青希がこっちに気づいて微笑んでくれた。

席に着いて青希と改めて向き合うと、ため息がこぼれそうになった。引き締まった顔と体、悲しい顔が想像できない笑顔を見ていると、安心すると同時に自分と比較して寂しくなった。そして、そんな自分をまた少し嫌いになった。

☆

「ごめん。」と言う言葉が突然聞こえた。

無意識のうちに自分の口から出たのかと思ったけど、その声は青希のものだった。

「…あの時、何も言わずにいなくなってごめん。」

戸惑う僕に、青希は続けて「あの事故」の後のことを話してくれた。


気力をなくしてリハビリ施設に移ったこと。その施設で、青希と同じ、いや青希よりも大変な人たちが大勢いたこと。リハビリは投げ出したくなるほど大変だったこと。反応に困り、頷くこともできない僕に対して、青希は信じられない言葉を口にした。


「辛かった時に、いつも支えてくれた言葉があってさ…。」

「…。」

「『大丈夫だよ。がんばって。』って達也が言ってくれたこと覚えてる？」

もちろん覚えている。それは、ずっと僕が後悔してきた言葉だから。

「おれ、あの時『達也に関係ない。』って言っちゃったよね。…本当にごめん。」

謝られることじゃない。何が大丈夫で、何をがんばるのか？　あまりに無責任な言葉だった。

「その後、達也がさ『関係あるよ。』って言ってくれたよね。」

「えっ…。」

…覚えていなかった。

「あの時のおれにはダンスしかなくてさ…。ダンスできないと生きる価値がなくなるって思ってたんだ。だけど、達也は『関係あるよ。』って言ってくれた。あの時はわからなかったけど、ずっと達也の言葉が心に残っていて…。そして、時間が経てば経つほど気づいていったんだ。

達也は、おれに、ダンスができなくなっても関係ないって。

…それでも関係は変わらないって言ってくれていたんだって。

…ありがとう。達也のあの言葉のおかげで、ずっとがんばれた気がするんだ。」

続いていく沈黙の中で、何か言わなきゃと思ったけど、声は出せなかった。口を開けたら、声の代わりにみっともない嗚咽が店中に響き渡ることは間違いなかったから。

この12年間、僕はずっと勝手に想像していた。

青希はずっと恨んでいたんじゃないか?って。青希はたくさん辛いことがあったんじゃないか?って。そして、そのたびに、僕を思い出して、出逢ったことを後悔していたんじゃないか?って。

でも、違った。青希は、後悔どころか感謝してくれていた。

『関係あるよ。』

そう言ったことを、やっぱり僕は思い出せない。

だけど、その時の自分の気持ちは、はっきりわかる。

青希に本気で伝えたかったんだと思う。自分にとって、青希はどうなっても大事な存在だってことを。青希に取り戻してほしかったんだと思う。自分にたくさんの笑顔をくれた笑顔を。

12年前の自分に「ありがとう。」と伝えたい。つたない言葉でも伝えてくれたおかげで、目の前の青希は笑っている。あの事故が起きる前の、僕にたくさんの笑顔をくれた笑顔で。

第二章 僕ががんばってきたことに気づくまで

5.「ラストオーダーです。」を心待ちにしていたのに…。

その日、僕と青希はたくさん食べて、たくさん飲んだ。運ばれてくる料理はすごく美味しかった。不思議と僕の好きなものばかりが出てきた。青希と食べ物の趣味が合うのかな?と思い、少し浮かれた。食べ飽きたはずのイカも出てきたけど、それすらもすごく美味しく感じた。

色んな話をした。昔の話もたくさんした。ダンスの話はやめとこうとしたけど、青希が訊いてきたので「あれからやっていない」とだけ伝えると、青希はほんの少しだけ寂しそうな顔をした気がした。

義足になってしまった青希はもう踊れない。だから、すぐに別の話に切り替えようとしたけど青希はダンスの話を続けた。

「達也、めちゃめちゃ上手だったのに、なんかもったいないね。」

「…嫌味かよ。逆じゃん! 青希のおかげで勝てたんじゃん。」

「え?」

「青希、すごい技いっぱいやって、いつもワーワー言われてさ。」

「ああ、そんな時もあったけど、おれはいっぱい失敗もしてたよ。」

そう言われてみれば、そうだったっけ？……いや、思い出せない。

「達也が、いつも安定したダンスをしてくれていたから、おれが失敗してもカバーしてくれていたから勝てた時の方が多かったよ。」

…また覚えてない。というか、自分が青希の役に立てていたなんて記憶がひとつもなかった。だけど、嬉しかった。

それから、お互いの仕事の話もした。青希は老人ホームで働いているらしかった。それを聞いて、僕は大変だろうなと思った。

「…大変そうだな。」

わかった顔をしながら、そう言うと、

「なんで？　楽しいよ。」

とすかさず笑顔で返された。そして、青希は仕事の楽しさを語り続けた。

無理してんのかな？と思ったけど、あまりに楽しそうに話すので黙って聞き続けた。

僕の仕事についても青希は色々質問してきた。とは言っても、青希は既に僕の仕事について知っていて驚いた。ウェブサイト制作会社で働いていることも、営業マンだってことも知っていた。きっと高校時代の友達から聞いたんだろう。

「どんなことが楽しいの？」「なんで楽しいの？」「一番幸せだった時は？」

時に深く頷いたり、体を乗り出してきたり、メモしたり…。青希は、まるで舞台俳優のように大げさに話を聞いてくれた。…そして、それが心地よかった。

ポジティブな質問ばかりをしてくれたおかげか、あれだけ嫌だと思っていた仕事の話でも楽しく話すことができたのに驚いた。本当は仕事が好きじゃないってことも話そうとしたけど、せっかくの楽しい雰囲気を壊したくなかったのでやめておいた。

とにかく楽しかった。人と話すことがこんなに楽しいと思えたのは、いつ以来だろう…。

「ラストオーダーになります。」

店長から声をかけられて時計を見ると、いつのまにか5時間以上が経っていた。

最近は、ずっとこの「ラストオーダーです。」を心待ちにしていた。お客さんと飲んでいる時も、友達と飲んでいる時も、早く終わらないかなって時計ばかり見ていた。あんなに欲しがっていた「ラストオーダーです。」の言葉が、今日は初めて残念に聞こえる。

「楽しかったーー。」

満足そうな顔で帰る準備をしている青希のドストレートな言葉が、僕の楽しい気持ちを一層高めてくれた。

「また、行こうよ。」

だから、僕も安心して言い慣れていない言葉を口にできた。

「達也に、うちの施設のウェブサイトつくってほしいんだよね。」

去り際に青希がそう言ってくれたけど、僕はすっかりリップサービスだと思っていた。

6. サザエさんと六本木と会社が嫌い。

〝サザエさん症候群〟

日曜日の夕方から深夜に、次の日の学校や仕事のことを考えて憂鬱になったり、体調が悪くなったり、ダルくなったりすることを言うらしい。

僕は、まさに、そのサザエさん症候群だった。

でも、青希と会った翌日の日曜日は違った。カツオの鋭い発言に笑ったし、波平さんが恥ずかしがっている姿を見てかわいいなと思った。ワカメちゃんの髪型が気になり出して、横の角度と後ろの角度を見て、「へえ、こうなってるんだ。」と独り言まで言っていたくらいだ。

その高いテンションは、翌日の月曜日も続いていた。

「私、六本木、好きなんだよね。」と言う人と出くわすと、僕は、100パーセント「合わない人だ。」と思っている。

いかにも仕事ができます風のビジネスマン…、ヒルズ族…、大声で話す奇抜な恰好をした若者、陽気に話しかけてきて無視すると舌打ちする外国人の客引き…。そういう痛い人間が幅を利かす六本木が、どうしても好きになれない。そして、そんな六本木を好きだと言う人は、間違いなく合わない。

だけど、僕自身が毎日、そういう人たちと出くわしている。

会社が六本木にあるからだ。毎朝、自宅のある十条から自分がモノのように感じるほどギューギューに詰め込まれた電車で新宿まで運ばれる。その後、電車を乗り換え、六本木に運ばれた頃には、いつも、その日1日分の体力を使い果たしたくらいクタクタになる。そういう状態で合わない人たちと出くわすとますます体力を奪われていく。

でも、今日は違った。

会社へ向かう足取りが軽い。仕事ができます風のビジネスマンや、奇抜な恰好の若者とすれ違っても、いつもみたくイライラしなかった。その代わりに、思わずスキップしてしまいそうなほど、ワクワクしていた。

☆

「忘れてた…！」

出社した瞬間、さっきまでのワクワクの代わりに、ドヨーンとした気持ちが押し寄せてきた。

壁に貼り出されている大きな白い紙。

そこには、営業部全員の３か月間の営業成績が書かれている。

そうだった。今日は３か月に一度の営業成績発表の日だ…。

この８年間、僕の成績は常に営業部40人の中で30位を下回っている。幸い一度も最下位になったことはないが、一度も30位以内に入ったこともない。今回も36位に、〝鈴木達也〟と僕の名前が書かれている。

「鈴木‼　ちょっと来い！」

『やっぱり来た！』正直、営業成績が悪いことには慣れていた。でも、どうしても慣れないことがある。それが、この説教タイムだ。

36位以下、ワースト5は、部長の席の前に立たされる。そして、散々小言を言われるのが恒例になっている。僕よりも成績が悪かった残り4人は、既に部長の机の前に立たされてうつむいている。

その4人の横に申し訳なさそうに並んだ瞬間、部長のきつい香水の匂いが鼻について、憂鬱な気持ちが色濃くなった。

「お前ら、とにかく努力が足りない！　気持ちの問題なんだよ！」

5人に聞こえるボリュームで十分のはずなのに、部長は部屋中に響くような声で話し始めた。公開処刑の始まりだ。

「ケンタッキーのカーネル・サンダースは…。」

出た‼　この話は、今まで散々聞かされた。カーネル・サンダース、エジソン、アインシュタイン、松下幸之助…。部長は柔道部出身。根っからの体育会系だ。そのせいか、散々努力した偉人の話ばかりしてくる。おかげで偉人には詳しくなった。でも、話を聞けば聞くほど暗い気持ちがますます増すだけだ。

『…それにしても、土曜日は楽しかったな。』

部長の説教に慣れているわけじゃなかったけど、飽きているせいか、いつのまにか土曜日のことを思い出している。

昔から青希といる時は楽しいことばっかりだった。本当によく笑っていた。担任から説教されている時に、担任の鼻毛が出ていた時は、それだけで1週間は笑えたな。今、目の前でどなっている部長も鼻毛がコンスタントに出ている。だけど、昔みたいに笑えない。このくさい香水をつける前に鼻毛を切ればいいのに…。

「おい‼　お前‼」

部長が急に立ち上がって、胸ぐらを掴んできた。

「何ニヤついてんだよ‼　お前、全然反省してないだろ⁉」

『しまった。』　笑えないと思っていたのに、いつのまにか笑ってしまっていたらしい。

「なあ！　反省してないだろ‼」

至近距離の大声に鼓膜が破れそうになる。
「ちょっと！　放してくださいよ！」
イライラし過ぎて思わずそう言ってしまった。今まで部長に意見したことなんて一度もなかった。仕事とは関係ないデブいじりをされても黙っていたくらいだ。胸ぐらを掴まれたのも、これが初めてじゃなかった。

そんな僕の初めての反抗に驚いたせいか、部長は手を放した。そして、その代わりににらまれ続けるはめになった。

悔しさがジワジワと込み上げてきた。ここには毎回立たされている。だけど、何度それを繰り返しても悔しいことは悔しいんだ。

『カーネル・サンダースは、フライドチキンのフランチャイズ契約を取るまでに1000件以上断られた。』

部長の大好きな話だ。

僕だって毎日最低10件は電話営業しているし、飛び込み営業をすることもある。断られる数は1年、いや半年で1000件なんてとうに超えている。

でも結果が出ない。電話は冷たく切られることがほとんど。飛び込みなんて、会ってもらえることすらほとんどない。


1週間前なんて、飛び込み先でいきなり「いらねーから帰れよ!」とどなられた。そういうことがあると、眠れないほどボロボロになる。目を閉じると、どなったやつの顔が頭に浮かんできて家で奇声を発してしまう。

もちろん、がんばりが足りないことは自分でもわかっている。営業電話をかける数も、他の人よりも少ないと思う。飛び込み営業は躊躇してしまい、30分くらい訪問先の会社の前でウロウロすることもある。体調を崩して欠席してしまうことも多い。もっとがんばれることはわかっている。でも、どうしてもがんばれないんだ…。


「これだから、運動やってなかったやつはさ…。」

沈黙を破って部長が話し始めた。

「ダンスなんてナヨナヨしたもんやってたから根性ないんだよ!」

部長の首を折ってやりたい衝動に駆られた。

部長が、歓迎会の時に無茶ブリしたせいで首を骨折して出遅れた。その負い目があったせいか、今まで部長はダンスの話に触れてこなかった。

それなのに、今日初めて触れてきた。僕がいないところではずっと言っていたのかもしれない。ふいに青希の顔が浮かんできた。そして、青希が言ってくれた言葉を思い出した。

『達也のおかげで、ずっとがんばれた…。』

次の瞬間、部長に向かって人生初の言葉を口走ってしまった。

「結果出すから、黙っててください！」

7.「いいね！」がたくさん欲しかったけど…。

あんなことを言ってしまったのは、我慢し続けていた部長へのストレスが原因かもしれない。『ダンスなんて…。』という言葉が、青希までもバカにされたように感じたからかもしれない。

『結果出すから、黙っててください！』

だけど、その言葉を言って30分後、早くも激しく後悔してしまっている自分がいる。これで結果を出さなかったら、ますます会社にいづらくなる。

ふと、〝転職〟の2文字が頭に浮かんできた。

「もう限界だ…。」

だけど、転職と言っても営業しかやったことがない。でも、営業はこりごりだ。僕に向いていない。8年間やってきて、それは身に染みてわかる。だけど、不況の今、経験がない仕事に転職するのが難しいのもわかっている。

不況でも需要がある仕事…。

不意に青希の話を思い出した。

介護の業界だったら行けるかもしれない！　今から、ますますお年寄りは増えていく。介護の業界だったら、きっと需要はあるはずだ！

仕事が終わったら青希に訊いてみようと思った。だけど、頭の中が転職でいっぱいになって仕事に集中できそうもなかった。

もしかしたら、青希はＳＮＳもやっているかもしれない。ＳＮＳだったらパソコンから仕事しているフリして連絡できる。そう思って、パソコンで「藤原青希」と検索してみることにした。青希は珍しい名前だから、もしＳＮＳをやっていたら、すぐに見つかるはずだと思った。

☆

「はっ？　マジで⁉」

「藤原青希」と検索すると異常な数の検索結果が表示された。

〝介護業界の革命児　藤原青希〟
〝藤原青希氏に訊く　今後の介護業界〟
〝藤原青希の著書一覧〟…。

最初は、青希と同姓同名の別の人間だと思った。だけど、どのページをクリックしても、はっきりと一昨日会ったばかりの青希の写真が表示されている。

…信じられなかった。夢でも見ているのかと思った。


青希は、２日前に聞いていた通り老人ホームで働いていた。だけど、一従業員ではなく経営者だった。全国に30施設以上も展開している老人ホームの経営者だ。さらに、その老人ホームは、入所希望者で溢れかえっている人気ぶりだった。

人気の秘密は、入居者の元気さにあると、ネットの取材記事には書かれていた。

普通、老人ホームに入居すると弱っていくお年寄りが多い。だけど、青希の施設は逆に元気になっていく人が多かった。元気になり過ぎて、家に戻る人もいるそうだ。

「すごいな…。」

気がつくと独り言が漏れていた。その声が聞こえたらしく周りから視線を感じて、下を向いて深刻な顔をしてみた。

あの事故の後、初めてお見舞いに行った時の青希の姿が蘇る。右足をなくし、打ちひしがれていた青希が…。

『こんなになるまでがんばったんだな。どんなに大変だっただろう。すごいよ、すご過ぎるよ…。』

あの日から今日までの青希を勝手に想像して目頭が熱くなった。

☆

一度トイレに立って顔を洗った後、デスクに戻り青希が特集されているページを順番に見ていった。そして、1時間以上が過ぎた頃、青希のFacebookを見つけた。その時に、介護業界のことを訊くために青希のSNSを探していたことを思い出した。

青希のＦａｃｅｂｏｏｋのページをクリックすると、右上に赤い数字が表示されていることに気がついた。青希とは関係ない、僕宛てのメッセージの数だ。32と書かれている。

そう言えば、随分、Ｆａｃｅｂｏｏｋは開いていなかった。多分、大事なメッセージなんてないだろうなと思いながらも気になって確認してみた。

『達也だよね？　青希だけど、久しぶり！』

一番上に表示されている最新のメッセージの送り主は青希だった。

受信日時は３週間前。２週間と少し前に青希はＬＩＮＥでメッセージをくれた。さらに、その前にＦａｃｅｂｏｏｋでも同じメッセージを送ってくれていたことに、今さら気づいてしまった。

せっかく送ってくれていたのに悪いことしたな。そう思うと同時に恥ずかしさが込み上げてきた。

自分のＦａｃｅｂｏｏｋページを青希から見られたことに気づいたからだ。

変なこと書いてないよな…？　慌てて自分の投稿を見返してみた。そして、最新の…とは言っても3年前の投稿を見た僕は凍りついた。

『イカ最高‼　イカが一番好きです。』

居酒屋でイカを食べている僕の写真と一緒に、その文字が添えられていた。

なぜ、居酒屋でみんながイカばかり注文するのか？　なぜ、青希までイカを注文してくれたのか？　不思議だった。今日まで「日本人ってイカ好きだよな…。」と思っていた。だけど、『イカ最高‼　イカが一番好き』なのは僕だ。

みんなこの投稿を見て、僕のためにイカを頼んでくれていたのかもしれない。その証拠に、その『イカ最高‼　イカが一番好きです。』の投稿に、以前飲みに行った時にイカを頼んでいた友人たちが、『達也、イカ好きだったんだ。』『今度、イカ食べに行こう。』と次々にコメントしていた。

自分のFacebookを見てくれていたこと、気遣ってもらえていたことが嬉しかった。だけど、それ以上に申し訳なかった。慌てて、イカの投稿を削除した。そして、次の投稿を確認してみた。

『カキフライ最高‼』

…さらに、次の投稿。

『おでん最高‼』

…次の投稿。

『たこわさ最高‼』

…食べ物のことしか書いてない。

イカ、カキフライ、おでん、たこわさ…。ん?…え⁇

慌てて、さっきまで周りを気にして出さなかったスマホをポケットから取り出した。2日前に撮影した写真を開く。青希と飲みに行った日、浮かれて料理の写真を撮った。3年前に、このＦａｃｅｂｏｏｋのイカを撮影して以来の写真だった。

「…やっぱり!」

2日前に食べたばかりだった。イカも、カキフライも、おでんも、たこわさも‼

全部、青希が、あの居酒屋で頼んでくれていたものばかりだ!

青希は、僕のＦａｃｅｂｏｏｋページを見ていた。そして、僕が好きだと言っているものを全部覚えて会いに来てくれたんだ。

☆

その後も驚きの連続だった。僕のＦａｃｅｂｏｏｋには食べ物のことだけじゃなく、仕事のことも書かれていた。青希が僕の仕事のことを知っていたのも、友達に訊いたわけじゃない。自分で調べてくれていたんだと思った。あのお店を選んでくれたのも、『やっぱり居酒屋が一番。』とバカ面して写っている僕の写真の投稿を見て、選んでくれたんだろう。

３年前、このＦａｃｅｂｏｏｋの投稿をしていた頃の僕は、「認められたい。」って気持ちが強かった気がする。会社から認められず、自分自身も自分を認められなかった。誰でも良いから認められたかった。

人と関わるのを諦めていなかった。

だからFacebookを始めた。でも、「いいね！」は全然つかなかった。仕事のことを書いて、食べ物のことを書いて…。そして、それでも「いいね！」があまりつかなくて。そして、やめた。

「『いいね！』なんてもらっても、何も変わらない。」

あの時は、そう言って強がっていたけど、やっぱり欲しかったんだと思う。「いいね！」って誰でも良いから言ってもらいたかった。「達也、いいね。」って。「いい感じだね。」って。

8. 人は、貢献したい生き物

「ねえ、この人ってさ…。」

「うわ‼」

青希で頭いっぱい、胸いっぱいになっていたせいで、すっかり会社にいたことを忘れていた。そんな時に、不意打ちで声をかけられたせいで思わず大声になってしまった。振り返ると、僕の大声に驚いたせいか、のけ反っている山田先輩がいた。

山田先輩は「ラッキーマン」というあだ名で呼ばれている営業部の先輩だ。営業なのに、話すと必ずと言っていいほど言葉を噛むらしい。そして、いつもだらしなく口が開いている姿を頻繁に目にしていた。

通常、営業マンは、ほとんど外回りに出ている。現に今も、社内に残っているのは5人もいない。それなのに山田先輩はだいたい社内にいる。そして、いつも口を開けっぱなしでネットサーフィンをしている。

ずっと社内にいても、ネットサーフィンをしていても、山田先輩はあの口うるさい部長からも、誰からも注意されない。それは、営業成績が1位だからだ。しかも、ここ5年もの間、ずっと1位をキープしている。だから、あだ名はラッキーマン。だけど、「営業は足で稼ぐ」という部長の方針にまったく従わないせいか、周りから浮いているように思えた。

僕自身も山田先輩には近づかないようにしていた。だから、急に山田先輩から話しかけられて、ドキドキしていた。

「え？　しし、知り合いなの？」

山田先輩はパソコンのモニターに顔をありえないほど近づけながら、そう訊いてきた。青希にちょうどメッセージを打っている画面を見られてしまっていた。

「…はい。」

仕事用のパソコンを私用に使っていた罪悪感からか、思わず正直に返事をした。

☆

「楽しみだなー。」

平日の昼間のガラガラに空いている電車。その電車の子供用の吊り革にぶら下がりながら、山田先輩は何度も「楽しみだなー。」を繰り返している。先輩がこんなにテンションが高い人だなんて今まで知らなかった。会社にいる時とまるで別人だ。でもやっぱり変わった人だ。

それにしても、なんでこんなことに…。

山田先輩に青希と知り合いだってことを話した。そうしたら、先輩から「すごい！すごい！」と称賛された。青希のことを以前雑誌で見て知っていたらしい。青希が書いた本も買って、ぐちゃぐちゃになるほど読み返したらしい。要するに先輩は、青希の熱狂的なファンだった。

正直僕は、それが嬉しかった。そして、調子に乗った。学生の頃、一緒にダンスをしていた話から一昨日飲みに行ったこと（事故の話は省いた）まで話した。その結果、興奮しきった先輩から「会いに行こうよ！」と言われてしまった。

…しまった。行きたくない。

確かに、青希はウェブサイトをつくりたいと言っていた。だけど、きっと気を遣って言ってくれただけだ。30施設も展開しているにもかかわらず、それでも入所希望者で溢れかえっている人気ぶり。ウェブサイトをリニューアルしたり、つくったりする必要もない。

さらに、もうひとつ大きな大きな不安要素がある。それが山田先輩だ。

大して動いてもいないのに、営業成績ナンバー1。この人の営業手法を僕は信用していない。もしかしたら、何かいかがわしいことをしているのかもしれない。そんな人を連れて行って青希から嫌われるのはごめんだと思った僕は、

「忙しいと思うから、また今度にしましょう。」

と恐る恐る山田先輩に言ってみた。

「…ああ、そうだね。興奮し過ぎてたわ。」

苦笑いしながらそう言われて、ホッとしたのも束の間だった。

「じゃあ、その今度をいつにするか、今電話してみようよ。」

…そりゃ、そうなるか。

出ないでくれ、と祈りながら電話してみたら、あっさり青希は出た。

「電話もらって嬉しいよ！」

青希からハイテンションでそう言われて僕のテンションも上がった。横で聞き耳を立てている山田先輩にうざったさを感じながら、訪問の件を告げてみた。

「おおーー！　嬉しい。今日の3時から空いてるよ。」

…断わられても寂しかったが、応じられても困る。

隣で電話を盗み聞きしていた山田先輩が、ガッツポーズをしがなら天井を見上げていた。

☆

六本木から電車で1時間と少し。青希と約束した老人ホームがある茅ヶ崎の駅に着いた時、不思議な感覚を覚えた。

『初めて来たのに、懐かしい…。』

その懐かしさは、駅から青希の老人ホームに近づくにつれて色濃くなっていった。

潮の香り、ヤシの木、まばらな人影…。地元に似ている。もう、滅多に帰らなくなった長崎に似ていた。

そして、海風でさび付いたガレージとガレージに横たわっているボロボロの傘を目にした時、青希と過ごした日々と、それが終わった日を思い出して息が詰まった。

ブルーな気持ちの僕とは反対に、テンション高めでスキップ交じりに歩いている山田先輩と一緒に、約束の時間の10分前に青希の老人ホームに着いた。10分前だったのに、既に青希は玄関の前で待っていてくれた。


「お会いできて嬉しいです！」

大声でそう言った山田先輩は、なぜか内股だ。それを見て微笑む青希を見た僕も少しだけ笑った。


青希は、まず施設を案内してくれた。ネットで事前に写真を見ていたから施設の雰囲気はわかっているつもりだった。だけど、実際は予想を遥かに超えていた。

観葉植物がセンス良く飾られている壁。ゴミひとつ落ちていない清潔感のある床。

その中で、家族と談笑している人たちもいれば、入居者同士で会話している人たちもいる。でも、ほとんどの人たちが一生懸命に何かをつくっている。ある人は、布を編み込んで草履らしきものをつくっている。また別の人は、竹を使って鞄らしきものをつくっている。また別の人は、何かを一生懸命に書いている。

アロマでも使っているせいか、施設中からラベンダーの香りがした。だけど、それ以上に活気に溢れている人の匂いを感じた。僕が思い込んでいたイメージとは真逆だ。

不思議そうな顔をして見ていると、それに気づいたのか先輩が話しかけてきた。

「すごいでしょ。おれ、あの草履持ってるんだよ。」

「え?」

「ここに入居している人たちは、みんなああやって仕事をしているんだよ。」

「…仕事ですか?」

「自分が好きなものつくって、ネットで売っているんだよ。クオリティーもすごく高くてさ。」

先輩の笑顔は、さっきよりも眩しくなっている。そして、一切噛むこともなく大きめの声で流暢に話している。

その様子をニコニコしながら見ていた青希が山田先輩に話しかける。

「本当すごいですよね。おじいちゃん、おばあちゃんがこんなに元気なら、おれらももっとがんばらなきゃって思いますよね。」

それを聞いた山田先輩が、首がもげるんじゃないかと思えるほど何度も大げさに頷いていた。

☆

一通り施設を案内してくれた後、一生懸命に〝仕事?〟をしているおばあちゃんたちの隣のテーブルに案内された。そこから、山田先輩の青希に対する怒涛の質問責めが始まった。

この仕事を始めたきっかけから、これからの目標まで、事細かに具体的に質問し続けた。青希は快く答えている。そして、犬みたいに口を開けっぱなしで先輩は聞いている。そして、また質問する…。その繰り返しは2時間以上続いた。そして、僕は青希の言葉に驚き続けていた。

青希が、12年前に、あの事故の後に入ったリハビリ施設の隣に介護施設があったらしい。

おじいちゃん、おばあちゃんが大好きだった青希は、気分転換にたびたびそこに遊びに行っていた。そして、足が不自由になった一人のおじいちゃんと出会い、仲良くなった。


「早く死にたい。」

それが、そのおじいちゃんの口癖だった。


「家族の足をこれ以上引っ張りたくない。」

おじいちゃんは何度もそう言った。

その時、青希はそのおじいちゃんと自分が重なって見えた。今から自分も足のせいでたくさんの人に迷惑をかけてしまうかもしれないと怖くなった。

だけど、そのおじいちゃんが泣いたり怒ったりしているのを見ているうちに、「あれ、この人元気じゃない？」と思ったらしい。「この人、いっぱいできることがあるじゃん。」と。

足が不自由でも手が動く。口が動く。だったら、足を引っ張るどころか、まだまだ人の役に立てるのかもしれないと。

そして、青希は、それは自分にもそっくりそのまま言えることに気づいた。

それから、青希は嫌がるおじいちゃんを無理やり色んなことに挑戦させた。2人でパンづくりに挑戦したり、お菓子づくりに挑戦したり。2人でつくったケーキを持って、入居者の誕生日にサプライズパーティーを開いたり。

「サプライズパーティーの時につくったケーキが、歯が折れるんじゃないか？ってくらい、めちゃくちゃ硬かったんですよ。」

青希は、その時の失敗を笑いながら話している。山田先輩は、相変わらず口を開けたまま聞いている。

「そしたら、見かねたおばあちゃんたちが、しょうがないなって、つくり方を一から教えてくれたんですよ。おじいちゃん、プライド高かったから、最初は嫌がっていたけど、なんだかんだ一生懸命聞いていたんですよね。
そして、出来上がったケーキがめちゃくちゃ美味しくて…。おじいちゃんも、教えてくれたおばあちゃんたちも、食べているみんなも、すごく楽しそうで…。」

その時のことを思い出しているせいか、青希の目は輝いていた。
そんなことを続けているうちに、「死にたい。」と言っていたおじいちゃんは、二度と「死にたい。」と言わなくなった。そして、次々に周りの入居者も明るくなっていった。それが、青希がこの仕事を始めるようになったきっかけだった。

「人って貢献したい生き物なんだと思うんです。」

青希がそう言った時、山田先輩以上に頷いている自分に気づいた。

9. 貢献することを諦めた理由は?

打ち合わせを始めて2時間が過ぎた頃、一度休憩を取ることになった。

青希はトイレに、山田先輩は折り返しの電話で席を立った。僕は席に座ったまま、さっきの『人って貢献したい生き物』という青希の言葉が頭から離れないでいた。

「わー、ありがとうね。」

不意に声が聞こえた。

声がした方を振り向くと、小さい男の子とその母親の姿が目に入った。その隣に、嬉しそうな顔で男の子を見ているおばあちゃんがいた。どうやら、老人ホームに入居しているおばあちゃんのところに2人で遊びに来たらしい。


「はい!」

そう言いながら、男の子がおばあちゃんに大きな紙袋を手渡していた。おばあちゃんは、「ありがとう。」と言って、その紙袋を受け取り、中から毛糸を取り出し始めた。このおばあちゃんも、何かをつくっているらしい。

「この子、おばあちゃんのおつかい、自分がやるってうるさくて…。」

優しそうな笑顔の母親がそう言った瞬間、ある記憶が蘇ってきた。

『小さい頃は、手伝わせてってうるさかったのに…。』

休みの日に、手伝いを断ってゴロゴロ転がっている僕に、母さんはよくそう言っていた。そんな母さんをただただ、うるさく思っていた。だけど、なぜだろう？

『小さい頃は、手伝わせてってうるさかったのに…。』

なぜ、小さい頃の僕はうるさいくらい手伝わせてって言っていたんだろう？

なぜ、今、目の前にいる男の子は、おばあちゃんのおつかいをうるさいくらいやりたがったんだろう？


そう思いながら男の子を眺めていると、途端に男の子が笑顔になった。その視線の先を見ると、おばあちゃんの大きな笑顔があった。袋から色とりどりの毛糸を全部取り出したおばあちゃんは、もう一度「ありがとう。」と男の子に伝えている。

それを見た途端、答えがわかった気がした。

…ただ、喜ばせたかったんだ。喜んでいる顔を見たかったんだ。

『達也が買い物してきてくれたおかげで美味しいご飯できたよ。』

おつかいに行った時、母は決まって笑顔で料理をテーブルに並べてくれた。

『達也、えらいな。』

父は、そう言って頭を撫でてくれた。

そんな2人を見るのが嬉しくて、僕は率先して色んな手伝いをしていた。嬉しかった。そして、誇らしかった。

2人の役に立てていることが。そう、貢献できていることが嬉しかった。

貢献することが、どれだけ自分を幸せにしてくれるか？ 小さい頃の僕は、それを知っていたんだと思う。まさに、貢献したい生き物だったんだと思う。

いつから、それを忘れてしまったんだろう？

貢献したいと思わなくなったんだろう？

☆

飽きるからかな？

ふとそう思った。手伝いに飽きてしまったから、貢献しようとしなくなったのかもしれない。

ブレイクダンスも、そうだったかな？　僕たちが踊ると喜んでくれる人たちがいた。それが嬉しくて仕方なかった。だから、僕は青希がいなくなってからも、その喜びを手に入れようとしたことがあった。

あの事故からしばらく経って、青希がいなくなった後も、僕は一人でブレイクダンスの大会に出たことがあった。

青希と一緒に大会に出まくっていたおかげで僕は知られていた。

「久しぶり！　今日、相棒は？」

「あれ？　今日、青希は？」

その日も、会場に入ったら色んな人に話しかけられた。ほとんどの人から、青希に関することを訊かれた気がする。でも、その中に…、

「久しぶりに、達也のダンス見られるの楽しみだよ！」

「うわー！　今日来て良かった！」

そんな期待の声もあった。


僕の出番が来て、名前が呼ばれた時も会場が沸いた。熱い視線を感じた。正直、嬉しかったし、その期待に純粋に応えたいと思った。だから必死で踊った。今までにないくらい必死で踊った。

…そして、1回戦で負けた。1回戦で負けるなんて小学生の時以来だったから悔しかった。だけど、それ以上に周りの視線が辛かった。期待されて、その期待を裏切ったことが何よりも辛かった。


そうだ。辛かったんだ。飽きたんじゃなくて、辛かったんだ。

…就職したばかりの頃もそうだ。

「期待してるよ！」

部長や先輩から何度もそう言われた。そのたびに嬉しかった。だけど、結局その期待に応えることができなかった。

…お客さんとの関係もそうだ。

「すごく結果を楽しみにしてます。」

お客さんからそう言われたのに、期待に応えられないことが何度もあった。

「結果出ないじゃないですか！　せっかく期待してたのに。」

お客さんから、そう責められて解約されたこともあった。

そのお客さんはしばらくしてから、新しいウェブサイト会社と契約していた。そして、『ウェブサイト替えて良かった。』とＳＮＳにアップしていた。それを見た時は、めまいがするほど落ち込んだ。

そうだった…。そうやって、僕は貢献することを諦めていったんだ。

より貢献できるものを見つけて…、期待されるのを望んで…、

期待されて、期待を裏切ることが辛くて、貢献しようとすることが怖くなった。


だけど、今、僕はまた「貢献したい。」と心から思っている。

『達也のおかげで、ずっとがんばれたんだよ。』

2日前に青希からそう言われた時、嬉しかったから。その幸せをもっともっと味わいたいと思ってしまったから。

☆

打ち合わせから3時間後、青希から正式に仕事を依頼された。

話を聞くと、入居者募集のウェブサイトではなく、入居者がつくったものを販売す

るためのウェブサイトとのことだった。すぐ隣で一生懸命に仕事しているおじいちゃんやおばあちゃんを見て、責任の重さにちょっと顔が引きつった。

「絶対に良いものつくりますね！」

僕の横でそう言った山田先輩が、この時ばかりはとても頼もしく思えた。

その山田先輩がスキップ交じりで帰っていくのを2人で見送った後、

「達也を連れて行きたいところがあるんだよね。」

と青希に誘われた。

青希の後についてラベンダーの香りに包まれていた施設から出ると、潮の香りに体中が包まれた。その香りは、つい3時間前に同じ道を歩いていた時に感じていたブルーな気持ちを洗い流してくれるようだった。

10. なんでやるのかって？　やりたいからだよ。

「懐かしいな。」

青希についてしばらく歩いていくと、ふいに音楽が聞こえた。小学3年生から高校2年生まで、毎日のように聞いていた音楽だった。音のする方を見ると、線路の下に、今は使われていないと思われる歩行者用の小さいトンネルが見えた。

そのトンネルで、17、8歳の若者たち3人がブレイクダンスの練習をしていた。

青希は足を止めて若者たちの方を真剣な顔で凝視している。

そんな顔で見てたら…と思った瞬間、音楽が止まった。

すると、明らかにガラの悪い若者たち3人がこっちに近づいてくる。

やっぱりガンつけていると思われている‼　青希を連れて、その場から立ち去ろうと思い、青希の腕を引っ張ろうとした。

その時だった。

「青希さん、久しぶり！」

緊迫した空気が一瞬で緩む嬉しそうな声が聞こえた。一人の茶髪の女の子が嬉しそうに青希に抱きついてきた。…どうやら、緊迫していたのは僕だけだったみたいだ。

「ナツと、ケンタと、コウタ。」

そう青希が3人を紹介した後、「はじめまして。」と頭を下げられて挨拶された。

☆

制汗剤の匂いをまき散らしながらケンタ君とコウタ君が踊っている。

その匂いと光景に懐かしさで胸がいっぱいになった。目の前で踊っている2人が、高校時代の青希と自分に重なる。そして、いつかこの2人も、自分みたいな大人になるんだと思うと胸が痛んだ。

挫折して、自分のふがいなさを知って、思い通りにならない世界に苦しんで…。でも、もしかしたら、青希みたいに成功するかもしれない…。そう思い直そうと、青希の姿を探したけど見当たらなかった。

「青希さんなら着替えですよ。」

キョロキョロしているのに気づいたせいか、ナツちゃんがそう教えてくれた。

…着替え？　なんのために？

次に青希が目の前に現れた時、僕は固まっていた。青希がジャージ姿だったからだ。

そして、僕の隣でストレッチを始めた。まさかと思っていると青希がそのまさかを口にした。

「実は、まだダンスやってるんだよね。」

できるの？という言葉を慌てて飲み込んだ。

「おれ、あの時に出られなかった世界大会にどうしても出たくてさ。1年前から、ダンス再開したんだよ。」

「…世界大会？」

「うん。」

青希が嬉しそうに頷く。

「…ダンスの?」

「うん。それ以外ないでしょ。」

笑いながら青希が答える。

「…なんで?」

青希が不思議そうな顔でこっちを見た。

「なんでって…やりたいからだよ。」

笑いながらそう言った青希の言葉にますます困惑した。

青希は成功している。それなのに、なぜダンスをやるのか? 世界大会を目指すほど本気でやるのか? その大変さを知っているはずの青希の行動の意味がわからなかった。

ダンスをやる意味がない。メリットがない。それどころか時間も体力も奪われる。ケガもしてしまうかもしれない。デメリットしか見当たらない。そんな僕の空気を感じ取ったのか、青希が言葉を続けた。

「達也も、ダンスやりたいからやってたんでしょ?」

ハッとした。確かにそうだった。…僕は、あの頃ダンスをやりたいからやっていた。

「意味は?」「メリットは?」。いつのまにか、僕はそればかり考えるようになっていた。

『やりたいからやってたんでしょ?』

青希のその言葉が、もう一度頭の中で繰り返された。

これをやる意味は? この人と一緒にいる意味は? いつも、そんなことばかり考えていたから楽しくなかったのかもしれない。

「やりたい」という一番大事な理由をずっと忘れていたのかもしれない。

11. ねえ、どうすれば良いと思う？

「よし！」

ストレッチを終えた青希が声を出した。

そう言えば昔もそうだったな。ストレッチを終えて青希が、よし！と言うと、僕はいつもワクワクしていた。そして、その後の青希のダンスを見て、そのワクワクはより大きくなっていった。「こんなダンスをしたい。」そう思える目標が目の前にあったからだ。

だから、今も期待していた。あの頃と同じダンスが、また目の前で見られるのかもしれない。

…だけど、青希が動き出した10秒後に、その期待はすっかり消えてしまった。

ダンスに夢中だった頃、大会に出るのが楽しかった理由のひとつは、青希のダンスをみんなに見てもらえることだった。

自信満々の笑顔。リズムに綺麗に合ったステップ。豪快でスピーディーな動き。確かに、こないだ青希本人が言っていたように、時々ミスする時はあったのかもしれない。だけど、それを忘れてしまうほど本当に魅力的なダンスだった。

でも、今、目の前で踊っている青希にその頃の面影は一切なかった。片足しか使えないせいか、単調なステップ。頻繁にバランスを崩す動き。そのたびに、青希は苦しそうに顔を歪める。

やっぱり無理だ。義足で踊るなんて。ましてや、世界大会なんて…。見ていられなくなって、視線を逸らすと茶色い髪が目に入った。

「すごいですよね。」

ナツちゃんが優しい表情で青希を見つめている。

「青希さん、すごくうまくなりました。最初は、本当何もできなくて…。それなのに、世界大会出るなんて言って…。今だから言えますけど、最初はできるわけないって笑っていたんです。でも、青希さん、来るたびに来るたびにうまくなっていって…。」

「達也、ちょっと見てくれる。」

振り向くと、いつのまにか汗だくになった青希が立っていた。そして、すっと軽やかに逆立ちをした。そのまま両手を合わせて逆立ちのまま回転した。

『青希が昔得意だった技だ！』と思った瞬間、青希の動きがスローモーションのようになった。そして、まるでしゃちほこのようにグネッと体を折り曲げた。

そして、そのままゆっくりと青希の体が旋回していった。

声が出なかった。その動きは、僕が憧れたあの頃の青希そのものだった。いや、あの頃よりもすごかった。

「ハア、ハア、…どう思う？」

息を切らして、倒れたまま青希が訊いてくる。

「すごいよ！　マジですごい!!」

心から感動していた。義足だろうが、なんだろうが、やっぱり青希だ！　やっぱりすごい！

「世界大会でも通用すると思う？」

「通用する！　絶対通用するよ‼」

心からそう言えた。あんな動きだったら、間違いなく通用する。その言葉を聞いて、青希は嬉しそうに笑った。それが嬉しくて、賞賛の言葉をたたみかけようとした時に、青希が口を開いた。

「じゃあ、こんな感じの動きを、あと17個だな。」

…青希は本気で世界大会に出る気なんだ。

世界大会の予選はトーナメント制だ。予選で1回踊る。そこから16人に絞られて、1回戦から決勝までトーナメント制で3回ずつ踊る。要するに、16回踊ることになる。16回分の動きが必要だ。多分、あとの2個は引き分けた場合の予備の動きだろう。

「ステップは、まだまだだよな？」

青希からそう訊かれて言葉に詰まった。さっきの動きは良かった。だけど、ステップは全盛期の頃の面影はない。でも、それは義足でバランスが取りづらいのが明らかだった。どうしようもないことを指摘することはできない。

「やっぱりステップは厳しいよなー。」

返事に困った僕に青希がそう言った。また困った顔になっていたのかもしれない。

「ケンタ、ごめん。ちょっと教えて！」

青希はそう言って、少し離れたところで踊っていた金髪のケンタ君を呼んだ。そして、「どこが悪い？」「どうすれば良いと思う？」と訊き続けていた。そして、ひたすらケンタ君の言葉をメモし続けていた。

30歳の立派な大人が、18歳の金髪の子に教わっている場面に言葉を失っていると、ナツちゃんが微笑みながら近づいてきた。

「いつもこんな感じなんですよ。毎回こうやって私たちに訊いてくれるんです。こうやって大人に訊かれることって今までなかったから…。最初はみんな戸惑っていたんです。」

「そうだよね。」

今、全力で戸惑っている僕は強く頷いた。

「でも、嬉しいんです。青希さん、いつもメモまで取ってくれる。そして、次に来た時には必ずうまくなってるんです。そうやって、私たちの言葉を大事にしてくれる。」

ナツちゃんの言葉を聞きながら自分のことが恥ずかしくなった。
青希は訊き続けている。なんのために？　自分が成長するためにだ。
ちっともみっともなくなんかない。むしろ、かっこいいと思った。
そして、青希に話すことで、みっともない自分がバレることを嫌がった自分を恥じた。

『…いつも僕はそうだった気がする。』
本当の自分が、できない自分がバレないように生きてきた気がする。
そして、それが青希と自分との大きな違いだと思った。

〝成長する人間〟と〝成長しない人間〟との違いだと思った・・・。

「青希さんって昔からこうだったんですか？」

ナツちゃんからそう訊かれて、昔の記憶を頭の中でなぞった。

そうだ！　青希はよく僕にも訊いていた。どうやるの？　どう思う？　そして、どうすれば良いと思う？　いつもいつも訊かれていた。そのたびに嬉しかった。青希に必要とされているのが、ただ嬉しかった。

反対に、青希は僕にもいつも教えてくれた。青希ができないことも教えてくれていた。なんでだったっけ？　なんで青希はできないことまで知っていたんだっけ？

『…そうだ！　その時も訊いていたんだった。』

大会で知り合った他のダンサーにも青希はいつも話しかけていた。どうやってやるんですか？　どうやったら良いと思いますか？　いつもそう訊いていた。僕が、恥ずかしがって訊くのをためらっていると、青希が代わりに訊いてくれていた。そうやって、色んな人と仲良くなって、反対に訊かれたことにも答えていたな。…いつもいつも、青希の周りは笑顔だったな。

「どうすれば良いと思う？」

ケンタ君に質問する青希の声が聞こえてくる。

声の方を向くと、さっきよりも汗だくで、疲労で腕を震わせている青希が見えた。

この質問を当たり前にできるから、質問の答えを大事にしているから、青希はこうなれたんだと思う。だから、僕も青希に訊こうと思った。

「どうすれば良いと思う？」と。

12. 悔しいってのは、がんばってないと抱けない感情だよ。

ダンスの練習が終わった後、青希から自宅に招待された。

青希の自宅に行ってみたかった僕は、すぐに快諾した。

そこは、普通の8階建てのマンションだった。とは言っても、僕のマンションというかアパートよりも遥かに立派なマンションだ。

マンションのエントランスに着くと、青希はインターホンを鳴らした。

一人暮らしなのになぜ?と思っていたら、

「おかえりー。」

という声がインターホン越しに聞こえた。


「え? 結婚してんの?」

驚いていると青希は笑った。

「子供もいるよ。」

また、驚かされた。と同時に、青希が結婚してないと思い込んでいた自分を不思議に思った。僕は、とことん決めつける癖があるらしい…。


「いらっしゃい。お待ちしてました。」

玄関を開けると、奥さんらしき人が、美味しそうな香りと一緒に出迎えてくれた。とても綺麗で、とても優しい笑顔だった。


「妻のあさこ。」

青希が「妻」という言葉を使っているせいか、あさこさんの笑顔のせいかわからなかったけど、なんだかやけに照れくさくなった。青希はいつのまにか僕を連れて行くことを、あさこさんに連絡してくれていたみたいだった。

リビングに案内された後、「適当にくつろいどいて。」という言葉を残して青希は姿を消した。

絵に描いたような一家団欒のリビング。3人掛けのグレーのソファーと、茶色のコーヒーテーブル。そして、4人掛けのダイニングテーブルと4つの椅子が置かれていた。美味しそうだった香りが家族の香りに変わった気がした。

ここに自分がいてはいけない気がして、腰を下ろすことができなかった。

ちょうどいい具合に、壁に絵が数枚飾られていて、そっちへ足を進めることにした。

それぞれの絵の左隅に『ふじわら　ゆうき』という名前が書かれている。右から順番に見ていくと、『たんぽぽ組』『さくらんぼ組』『1年2組』『2年1組』と成長しているのがわかる。それに伴って絵もうまくなっているからだ。

そして、一番上手に描かれている絵に『3年1組　藤原勇気』と書かれているのを見て、そんなに大きい子供がいることに、また驚いた。

少し離れた場所に、もうひとつ絵を見つけた。

まさか、もう一人いるのか？と思ったけど、その絵の左隅にも『ばら組　ふじわらゆうき』の文字があった。

「なんで、この絵だけこの場所に？」

その絵を眺めると、10ほどの人らしきものが描かれている。〝らしきもの〟としか思えなかったのは、顔だと思われる部分に赤色と青色で模様のようなものが描かれていたからだ。

「子供は、みんな芸術家」という言葉を聞いたことがあるけど、納得だ。確かに芸術で、僕は芸術が理解できない。

「こんばんは…。」

不意に高い声が聞こえた方を振り返ると、パジャマ姿の子供が立っていた。青希にそっくりな顔をしている。息子のゆうき君だとすぐにわかった。

「〝ご〟んばんは。」

突然だったせいか、「ごめん」と「こんばんは」が混ざってしまった。ゆうき君のすぐ後ろに青希がニコニコしながら立っていた。

「ごめんね。遅くに来ちゃって。」

「…いえ、ごゆっくり。」

子供らしくない言葉を残して、ゆうき君は寝室へ向かった。

「愛想がなくてごめんね。」

そう言いながら、青希は椅子に腰を下ろした。「愛想がなくて。」の言葉に首を横に振りながら、僕も向かいの椅子に座った。

その後、あさこさんがビールと手料理を運んできてくれた。エビが入ったシーフードサラダと焼き鳥、肉じゃが…。これも、僕が昔Ｆａｃｅｂｏｏｋにアップしていたものだ。その料理を見ながら、青希はかなり前にあさこさんに連絡してくれていたことに気がついた。


「こんなにたくさん用意してもらって…ごめんなさい。ありがとうございます。」

「とんでもない。ずっと夫から達也さんの話を聞いてて…、私もお会いできるの、とっても楽しみだったんですよ。」

青希に似ているなと思った。会いたかったって言葉を当たり前に言ってくれる。

「…ありがとうございます。」

そして、せっかくのあさこさんの言葉に、それしか返せない自分に苛立った。

☆

「どうすれば良いと思う?」

その言葉をようやく口に出せたのは、青希の家に来て1時間が過ぎた頃だった。

いくらでも、その言葉を口にする時間はあった。でも、青希とあさこさんと話すのが楽し過ぎて、すっかり忘れていた。

2人とも僕が話すたびに、いちいち大きく頷いてくれた。

僕もいちいち嬉しかった。そして、2人とも終始、人懐っこい犬みたいに口を開けっぱなしだった。

「ごめん。ちょっとやることあるから、1時間くらい席外すね。」

あさこさんがそう言った時、帰るのを促されているのかと一瞬思った。

「戻ってきてもいてくださいよ。」

だけど、笑顔でそう言い残してあさこさんは部屋を出ていった。どこまでも気持ちが良い人だった。

そうして、ようやく自分が青希に相談したかったことを思い出した。

だけど、「どうすれば良いと思う？」といきなり訊いたところで、青希を混乱させるだけだと思って、

「やりたいことが見つからないんだよね…。」

と切り出してみた。

「…今の仕事、やりたいことじゃないの？」

青希は意外そうな顔をしている。

やりたいことを当たり前のようにやっている青希にとっては、理解に苦しんで当たり前だ。やっぱり言わなきゃ良かったかな…？

…いやいや、そんなんだから、今こうなんだ。訊かないと何も変わらない。その決意が伝わったのか、青希は真剣に話を聞いてくれた。

恐る恐る話し始めた僕を、励ましてくれるように青希は何度も質問し、何度も深く

頷いてくれた。そのせいで、話し過ぎるほど話してしまった。

会社のお荷物になっていること。そもそも、営業という仕事が好きじゃないこと。人が怖いこと。今日も、部長と揉めてしまったことまで。

青希が質問してくれたおかげもあって、すべての悩みを語り尽くせた気がした。青希は、ひとつひとつの話を丁寧にメモしてくれていた。

「すごいね。」

不意に青希からそう言われて、意味がわからず首を傾けた。

「え?? 何がすごいの?」

「すごくしっかり向き合ってる。仕事にも、人にもすごく向き合ってる。いい加減に考えていないってことだよ。大事だと思ってるってことだよ。」

言われてみると、そうなのかもしれない。仕事も人も怖いのは、大事だと思っているからかもしれない。

…だけど、すごくはない。大事に思うことだけだったら、誰でもできる。その大事なものを大事にできないのが情けないんだ。

「大事と好きって違うよね？　大事だけど、好きになれないんだ。」

思ったことをそのまま伝えてみた。

「達也が好きだったものって何？」

「ダンス…。ダンスしかないかな。」

「ダンスって最初から好きだった？　何もできない時から好きだった？」

何もできない時から…。その頃を思い出してみる。最初は、難しくてできなくて、体中が痛くて…。好きとは到底言えなかった気がする。何度か練習をさぼったことも思い出して、首を横に振った。

「それと同じなんじゃない？」

「え・・・。」

「好きになれないんじゃなくて、好きになるまでやっていないのかもよ。」

「でも、この仕事8年もやってるのに…。」

自分でそう言って、違和感に気がついた。

…ダンスに比べると、僕は仕事をがんばっていない。

青希は時間のことじゃなくて、がんばっているかを訊きたいんだろう。

「確かにダンスみたいには、がんばっていないかも。」

そう正直に言うと、

「いや、達也はがんばっていると思うよ。」

と即座に青希から言われて混乱した。

「悔しいってのは、がんばってないと抱けない感情だよ。

成長できる、結果が出ると信じていたから悔しいんだと思うよ。」

確かに、ダンスを始めた時もそうだった。青希にダンスのビデオを見せてもらった時、「できる」と思ったから練習した。練習できた。

営業部に配属された時も、最初はできる、がんばろうと思っていた。いや、今もそう思おうとしているのかもしれない。

営業電話をかける数が他の人より少なくても、電話をかけない日はない。躊躇しながらも飛び込み営業を続けている。体調をいくら崩しても、それでも仕事を続けている自分がいる。

…それは、いつか結果が出ることを信じているからなのかもしれない。

「おれもそんな時があったもん。」

青希はそう切り出しながら、介護施設を始めた時のことを話してくれた。

青希が介護施設を始めたばかりの時、思い通りにいかなかった。

スタッフや入居者との揉めごとが頻繁に起こった。ただでさえ忙しかったのに、その問題を解決するために体力も削られていった。そうして青希は毎日疲れ果てて帰宅していたらしい。

「いつも、がんばりが足りないって思っていた。
ずっと自分を責めて、もっとがんばらなきゃって思っていた。
でも、ちっとも楽しくなかったんだ。」

青希のその言葉は、まるで今の僕の気持ちを代弁してくれているように思えた。

☆

あさこさんは、自分も働いているのに、すごく青希を大事にしてくれたらしい。

休みの日も、起きるまで寝かせておいてくれた。「疲れた。」が口癖の青希を、いつも労わってくれた。

それでも、青希は頻繁に体を壊した。

体を壊して休むたびに、「挽回しないと！」と躍起になっていた。そんなある日、一歩も動けないほど体を壊した時があった。家で一人で寝ていると、保育園に行っている時間のゆうき君があさこさんに連れられて帰ってきた。

青希はゆうき君の顔を見て驚いたらしい。

ゆうき君がひどく疲れている顔をしていたからだ。介護施設を始める前は、いつも笑っている子供だった。笑うと目がへの字になって、えくぼがくっきり出る。そのゆうき君の疲れ果てた顔を見た時に、青希は介護施設を始めてから、ゆうき君の笑顔を見ていないことに気がついた。


ゆうき君に「何があったのか?」と何度も尋ねた。

だけど、ゆうき君は口を閉ざしたままだった。あさこさんも、「病院に連れて行っても何も異常ないんだよね。」と言っていた。その日から、たびたび保育園を休むようになった。いつも疲れた顔をしながら「疲れた。」って言葉を言うようになった。だけど、何度病院に連れて行っても「異常なし」だった。

そんなある日、帰宅すると、あさこさんからゆうき君の元気がない理由がわかったと伝えられた。

「疲れていたら、ママが優しい。」

ゆうき君は、涙をいっぱい浮かべてあさこさんにそう言ったらしい。それを聞いた青希はショックを受けた。こないだようやく話し始めた子供が「疲れた。」という言葉を望んで口にしていることに。

その原因は自分だと思った。「疲れた。」と毎日言って、そのたびにあさこさんが青希に優しくしているのを見て、ゆうき君も「疲れた。」が口癖になったことに気がついた。

子供は親をよく見ている。親の言葉をよく聞いている。

それから、青希とあさこさんは「疲れた。」って言葉を言わないことに決めた。

だけど、口癖はなかなか直らなかった。…実際に疲れていたからだ。

「気力だけでどうにかしようとしても、表情にも言葉にも出ちゃってたんだ。だから、働き方自体を変えようとしたんだ。そうしたら、少しずつだけど疲れなくなってきてさ。ゆうきも保育園休まなくなったんだ。『疲れた。』って口癖も直って。まだ、あの笑顔は見せてくれないんだけどね…。」

そう言った青希は寂しそうな顔をしていた。

13. がんばっているのに、結果が出ないのは、能力がないってことじゃない。

「ごめん。話戻すね。」

青希は、いつもの笑顔に戻っていた。

「働き方を変えなきゃいけない。がんばり過ぎない働き方をしなきゃいけない。それでいて、結果を出す働き方をしなきゃいけない。とにかく、そう思ったんだ。」

強く頷いた僕に、笑顔のまま青希は言葉を続ける。

「ある時、あさこに、『がんばり過ぎなんじゃない？』って言われたんだよ。そうだなって思えた。一度、ちゃんとがんばっていたことを認めようと思ったんだ。ずっと、がんばりが足りない、もっとがんばらなきゃって思ってた。それって、がんばったって思いたくないってことだったんだ。」

「…がんばったって思いたくない？」

「そう。自分が本気だってわかってしまうのが怖かったんだ。〝がんばっているのにできてない自分〟にがっかりしてしまうから。だから、本気じゃない、がんばってないって言い聞かせていたんだ。」

青希の言葉にドキッとした。…僕もそうかもしれない。

「まだ、がんばってない。」そう自分に言い聞かせていれば、プライドを損なわずに済む。でも、青希ほどじゃないとしても、僕も僕なりにがんばっていたのかもしれない。

「でも、その先にあるのは、〝結果が出ないがんばる〟だけなんだよ。
そもそも、がんばるって我慢するってことじゃないはずなのに。
苦労するってことじゃないはずなのに。
がんばるって楽しいことのはずなのに、それを忘れていたんだ。

だから、楽しめるがんばるをやろうって思ったんだ。」

「で、どうしたの？」

『楽しめるがんばる。』その方法を早く知りたくて、青希に先を促した。

「『自分だけで考え過ぎじゃない？』ってあさこに言われたんだよ。楽しく仕事している人たちに、学びに行ってみれば？って。」

「…で、学びに行ったの？」

青希は笑顔で頷いた。

「色んな人の話を聞きに行って取り入れていったんだ。そしたら、すごく変わっていった。そして、やっと大事なことに気づけたんだ。」

少しの沈黙を置いて青希は話を続けた。

「がんばってもがんばっても、結果が出ない。

でも、それは、自分の能力がないってことじゃないって。才能がないってことじゃないって。ダメな行動をしていただけなんだって。仕事が好きになれない行動。結果が出ない行動を。成長できない行動を。そのせいで、自分はダメな人間、そう思い込んでしまっていただけだって。」

青希の言葉が、胸に突き刺さる。…確かにその通りかもしれない。

「行動して結果が出ない。」を繰り返していけばいくほど、人は自分をダメだと思っていく。少なくとも、今までの僕はそんな気がした。

「誰の話を聞きに行けば良い？」

青希が変われた人の話を聞いてみたい。青希を変えた人…、間違いなくすごい人だと思う。その人に出逢えれば、もしかしたら僕も変われるかもしれない。

「山田さん。」

青希はしばらく考えた後に、そう答えた。

「…どの山田さん？」

山田さんはいっぱいいるだろうとばかりに、笑いながら訊いてみた。

「え？　今日の山田さんだよ。」

「今日の山田さん？…もしかして、山田先輩？」

「そうそう。その山田さん。」

驚いた僕が理由を訊く前に、青希から答えが返ってきた。

「山田さんは、言葉をすごく大切にしている人だから。」

14. 人が人を信じる理由。

『山田先輩が言葉を大事にしている？』

いやいや、とてもそうは思えなかった。

今日の青希との打ち合わせだって、何か特別な言葉を言っていたとは思えなかった。

「山田先輩って、あさこと似てるんだ。」

急に冗談を放り込んできたのかと思ったが、青希は真面目な顔だった。でも、どこをどうしたって、２人が似てるとは思えない。

「仕事が全然うまくいってなかった時にさ、うちお金がなくって。家に毎月５万円入れるのがやっとだったんだよ。」

驚いた。そんなに過酷な状態だったなんて思ってもみなかった。

「だから、あさこに申し訳なくて。周りの友達は、家族で海外旅行に行ったり、彼氏や旦那さんから高いブランドもののバッグをプレゼントしてもらってたりしてるのにね。こっちは、まともに服も買ってあげられない。ご飯にも連れて行ってあげられない。それどころか、借金までしちゃってさ。すごく申し訳ないなって。」

自分が今結婚しても、そうなるだろうと思った。そして、胸が苦しくなった。

「だから、『ごめんね。』って言いながら給料渡してたんだ。そしたら、そのたびに、あさこが『大丈夫。私お金あるから。』って言うんだよ。おれが通帳管理していたから完璧に嘘だってわかるのに。」

青希は笑いながらそう言ったけど、その時の青希を想像すると笑えなかった。

「でも、その言葉に安心させられてる自分がいて。あさこは『大丈夫。』『大丈夫。』ってずっと言ってくれてて…。そのたびに、大丈夫だって思ってくれているんだって思えて。信じてくれているんだって思えて。」

今まで、人ののろけ話を聞くたびにうっとうしかった。だけど、初めて心から羨ましいと思える自分がいた。

「今日、山田さんからもそれを感じたんだ。」

「ゴホゴホゴホ…！」

あさこさんの顔を想像しながら聞いていたのに、不意に山田先輩の名前が出てきて、思わず咳込んだ。咳が収まるのを待って青希は言葉を続けた。

「今までたくさん営業の人が来たんだよ。でも、みんな、おれがやりたいことは叶わないって顔してるんだよ。…でも、山田さんは違った。この人、完全に信じてくれているなって思えた。だから仕事を頼んだんだよ。」

「え？　でも、山田先輩、そんなこと言ってたっけ？」

山田先輩は、「信じてる」という言葉を一度も口にしていない。なんで青希は、山田先輩が自分を信じていると感じたんだろう？

「…そう言われてみたら、確かにそうだね。」

当然答えが返ってくると思っていたので、拍子抜けした。

「そういうことも含めて、直接本人に訊いてみてよ。そして、おれにも教えて。」

楽しそうにそう言った青希を見て、変わってないなと思った。

僕が青希に教えることができるのは嬉しかったけど、実際に山田先輩に教えを乞うのは正直気が引けていた。

第三章

僕が世界の見方を変えられるまで

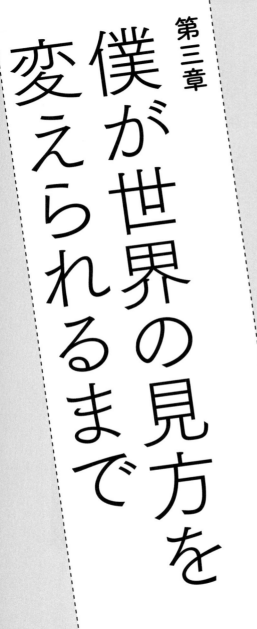

15. 目的次第で、見えるものが変わる。

山田先輩はコミュ症だと思う。

山田先輩を慕っている人に一人も会ったことがない。そんな人から学ぶのは大変そうだ…。

「…うーん。」

唸りながらそんなことを考えていると、青希は「ちょっと待ってて。」と笑顔で言いながら小走りでリビングから出ていった。戻ってきた青希の手には2つの眼鏡…、いや、サングラスらしきものが見えた。

「はい。」

そう言いながら、青希は赤いサングラスを差し出してきた。

プレゼントかな?と思って手に取って眺めてみる。赤いフレームに赤いグラスの真っ赤なサングラス。こんなものをつけて歩いている人を見たことがない。

「かけてみて。」

青希は子供のような笑顔を浮かべている。サングラスをかけようとした時、その小ささに気づいた。

「え？　入らないよ。これ、子供用でしょ？」

「大丈夫、これフレーム伸びるから。」

そう言った青希は、もうひとつの青いサングラスをかけている。

仕方なく手に持った赤いサングラスを、壊れないように用心深くかけてみた瞬間、目の前が真っ赤になった。すぐそこにあったはずの茶色いテーブル、緑色のコースター、金色のビール、すべてが赤一色に変わった。

「こっち来て、これ見て。」

いつのまにか青希は1枚の絵の前に移動していた。10ほどの人らしきものが描かれているあの絵だ。

「これ、ゆうきが保育園の時に描いてきたんだけど、見てみて。」

サングラスのせいで赤色に見える青希が絵を指さしている。

「あれ？」

絵を見ると、模様に見えていた顔らしきものに表情が見えた。

目尻がすごく下がっていて、口がへの字型の顔に見える。すごく悲しそうな表情だ。青希が何も言わないのでそのまま見続けていると、少しだけ胸が苦しくなった。

横を見ると青希がニコニコしながらその絵を見ていた。なんで笑えるんだろう？保育園の子供がこんな悲しい絵を描いてきた。自分だったら絶対に笑えない。

「じゃあ、交代。」

青希が、青いサングラスを外して差し出してきた。

自分が持っていた赤いサングラスを外しながら、それを受け取った。

青いサングラスをかけて絵を見た瞬間、瞬きを繰り返した。さっきまであったはずの悲しそうな顔の代わりに、笑っている人たちの顔が一面に広がっていたからだ。

「そのまま、そのまま。」

驚いてサングラスを外そうとした僕に、青希は言った。

言う通りに、しばらく絵を見続けた。笑っている人たちの顔を見ているうちに、なんだか温かい気持ちになれたような気がした。

「もう良いよ。」

青希の声が聞こえ、サングラスを外し、もう一度絵を見る。

最初にこの部屋に入った時に見た模様のような顔が描かれた絵に戻っていた。

からくりは簡単だった。青いクレヨンで困った顔が赤いクレヨンで笑顔が描かれていた。だから、赤いサングラスをつけると赤で描かれた笑顔が見えず、困った顔しか見えない。反対に、青いサングラスをつけると青で描かれた困った顔が見えず、笑顔だけが見える仕組みだった。

「この絵の困っている顔の方をさ、ゆうきが保育園で描いたらしいんだ。それを、うちに持って帰ってきた時、おれすごくへこんじゃってさ。ゆうきには、こういう風に世界が見えてるんじゃないかって。」

「…。」

「そしたら、あさこが青いサングラスをゆうきにつけさせたんだ。そして、赤いクレヨンで笑顔を描いてゆうきに渡して、『これから、こんな顔ばっかり見せるからね。』って笑顔で言ったんだ。そしたら、ずっと笑ってなかったゆうきが少し笑ったんだ。」

いつのまにか、僕は胸に手を当てて青希の話を聞いていた。

そして、青希の次の言葉を待った。

「それを見ながら、大事なことに気づけたんだ。見方って、こんなに大事なんだって。

傷つかないように生きようとすると、傷つけるものを探してしまう。

楽しむために生きようとすると、楽しいものを探すってことに。

おれ、スタッフや入居者の人と揉めていた時に、

いつも傷つかないように、その人の悪いところばっかり探してた。

『この人は、こういう人だから気をつけよう。』って。でも、そうしているせいで楽しいものが見えにくくなっていたんだ。

この絵を見た時に、成長するために物事を見ようと思えたんだ。傷つかないためじゃなくて、良くなるためだけに生きていこうって。」

…僕も、ずっとそうだった気がする。青希がかわいそうだと思っていた。そして、その原因をつくってしまった自分もかわいそうだと思っていた。これ以上、かわいそうな自分にならないように、傷つかないように、生きてきた気がする。

人と関わると傷つく。だから、人と関わらないようにしよう。行動を起こすと傷つく。だから、行動を起こさないようにしよう。いつのまにか、そうなってしまっていた気がする。

…だから、つまらなかったのかもしれない。楽しくなかったのかもしれない。

「良くなることって、まず見方を変えることから始まると思うんだ。」

青希の言葉に頷きながら、山田先輩から学ぶことが、さっきよりも楽しみになっている自分に気がついた。

16. どうなりたいか？の先に、どう思われたいか？がある。

朝からコンビニに立ち寄って一番厚いメモ帳を買った。

今日からとにかくメモを取ることにした。青希と一緒に過ごしたここ数日で2つのことに気がついたからだ。

まずひとつ目は、僕は記憶を塗り替えてしまう癖があること。しかも、ネガティブな方向に。

昨日、青希の家から自宅に戻った後、色々と振り返ってみた。

そうすると、自分がずっと「行動しない理由」を探していたことを改めて思い知ることになった。ダンスに夢中だった頃も、青希だけがすごくて、自分は足手まといだったと思い込んでいた。

だけど、実際は、青希が言う通り僕もそこそこイケていた気がする。…イケていたまではいかないかもしれないけど、青希が言う通り青希の役に立てていた。青希ほどはいかなくても、大会で観客を沸かせたことも何度もあった。

それなのに…、僕はすっかり忘れていた。それは、その方が言い訳するのに都合が良かったからかもしれない。

「昔からできない自分だから。」と自分に思い込ませて「行動しない理由」にしていたんだ。

僕は、もう自分の脳を信用しない。

そして、メモを買った2つ目の理由は、単純に青希がいつもメモを取っていたからだ。

最初、青希が居酒屋の店員さんの話をメモしていた時は、ただ不思議なだけだった。

大して気にも留めていなかった。だけど、その後、山田先輩と話している時も、僕と話している時も、青希はずっとメモを取っていた。そして、ナツちゃんから、『私たちの言葉を大事にしてくれる。』と聞いた時、ようやく気づいた。

青希がメモを取っていたのは、昨日青希が言っていた「成長するため」なんだと。

青希はいつも人の言葉を、「これから」だけに繋げているんだ。

だから僕もメモ帳を買った。事実をちゃんと事実として認識するために。そして、成長するためだけの言葉をメモしていくことにした。

それにしても、こんなにドキドキしながら通勤するのは久々だ。

☆

以前、会社で受けさせられた研修で、「繰り返し言葉を唱えることで気持ちを高める」みたいな方法を聞いた。

その時は、鏡の前で、「私はできる。私はできる。」と復唱することを勧められたが、すぐに飽きて…というか、バカらしく思えてやめた。でも、今日は試してみている。

「山田先輩は、先生。山田先輩は、先生。山田先輩は…。」

せっかくの決意が揺るがないように、朝から周りに聞こえないほどの小声でそう唱えながら通勤した。そして、出社したら、そのままの勢いで山田先輩のデスクに向かおうとした。

「あれ、何やってるんだと思う?」

「・・・さあ、・・・宗教とか?」

今年の4月から入社予定のインターン生たちの会話が耳に入る。

すぐに誰のことを話しているのかわかった。

山田先輩のデスクを見ると、先輩は目を閉じて、手を伸ばしたり胸に当てたりしている。ちょくちょく先輩はアレをしている。あまりの不気味さに僕は、アレを見ないようにしていた。

今日久しぶりに目にしたが、やっぱり不気味だ。せっかく朝から積み上げてきた決意が一瞬で吹っ飛んでしまいそうになる。

『山田先輩は、先生。山田先輩は、先生。』

それでも、青希を信じて決意を改めて高めようとする。さすがに、会社では声に出すことはできず、頭の中でそう繰り返しながら思いきって声をかけた。

「山田先生…、先輩。」

思いっきり間違えた！　自分への言い聞かせが行き過ぎたみたいだ。

そして、山田先輩から無視された。よく見ると耳栓をしている。先輩の代わりに数人がこっちを振り向いた。

「んっ、ゴホン、ゴホン！」

ごまかすために、喉に何か引っかかっただけだと装って咳払いをした。そして、そのまま先輩の横を通り過ぎて、その先の給湯室に入った。

飲みたくもないコーヒーを淹れながら、「やっぱり、無理。」という言葉が頭をかすめた時、携帯が振動した。見ると青希からのＬＩＮＥだった。

『昨日は、来てくれてありがとう。仕事場に来てくれたのも嬉しかったし、家まで来てくれたのも嬉しかった。本当、たくさん勉強になったよ。あさこも会いたがってるから絶対また来てね。』

青希からのメールに、後ろ向きだった気持ちが薄らいだ気がした。

『…あさこも会いたがってるから絶対また来てね。』

そのメッセージが特に嬉しかった。

昨日、青希と話し終わったタイミングで視線を感じた方を見ると、あさこさんがいた。あさこさんはドアの隙間からこっちを見ていた。

「バレた！」って言いながら、あさこさんは出てきた。僕が話しやすいように、わざと席を外してくれていたんだと思う。

『本当、昨日は楽しかったな…。』

昨日を思い出して余韻に浸りながらスマホに目を戻すと、余韻を吹き飛ばす言葉が続いていた。

『どうなりたいか？の先に、どう思われたいか？があるからね。』

今、青希はどっかで僕を見ていたんじゃないか？と思った。

山田先輩にどう思われるか？ 周りにどう思われるか？を気にして先輩に訊くのをためらっている自分を見られているんじゃないかとさえ思った。

『どうなりたいか？の先に、どう思われたいか？があるか…。』

そう言えば、どうなりたいか？って、伝えたことがなかった気がする。というか、考えたこともなかった。

17. 欲しいものを伝えないと、誰も何もできない。

「き、昨日、あ、ありがとうね。」

普段は飲まないコーヒーを渋々持ちながら給湯室から出た途端、山田先輩から先に話しかけられた。今日も先輩は噛み噛みだった。

「ほ、本当嬉しかったよ。ありがとう。」

「いえいえ。こちらこそ、ありがとうございました。」

そう言いながら、今がチャンスだと思った。

「後で、打ち合わせさせてもらって良いですか？」

「もつ、もつろん。」

…それにしても山田先輩はすごく噛む。そう思いながら、昨日の青希との打ち合わせの時の、まったく噛んでいなかった山田先輩を不思議に思った。

☆

うちの会社の場合、営業の仕事は、仕事を取ってきたら終わりってわけじゃない。ウェブサイトの設計、デザイナーとの打ち合わせ、納品時のお客さんとの打ち合わせまでを営業マンが担当する。ウェブディレクターの役割までを担うのが、うちの会社の営業の仕事だ。

入社して半年ほどは上司と一緒に営業に回る。

そして、上司の営業手法を学び、ウェブサイトの設計から納品時の打ち合わせまで一通りの仕事を学び、覚える。大抵は、そこでペアを組んだ上司と仲良くなるらしい。だけど、僕の場合は違った。

僕がペアを組まされたのは部長だった。

あの歓迎会の骨折事件の負い目を感じていた部長は、自ら僕とのペアを申し出たらしい。…頼むから、やめてほしかった。

「おれがお前を1番にしてみせるからな。」

部長とペアを組む初日にそう言われた時、さっそく悪い予感がした。

部長がどれだけ会社に貢献してきたか？　若い時からどれだけ活躍してきたか？学生時代からどれだけ人気があったか？に至るまで…、その後、武勇伝を丸一日聞かされた時は、悪い予感が確信に変わった。

「今から一番大事なこと言うからな。」

それが部長の口癖だった。そして、その〝一番〟大事なことはいくつもあった。さらに、その一番大事なことが頻繁に変わった。

しまいには、営業先で、2人そろって散々な扱いを受けた帰り道、「おれ一人だったら、こんなこと今までなかったのにな。」と、恨めしそうな目で見られた時は、もうどうにでもしてくれと思った。

同期がペアを組んだ上司とみるみる仲が良くなっていくのをずっと羨ましく思っていた。そして、成績優秀な同期に向かって「君と組みたかったよ。」と、部長が僕の前で平然と言ってのけた後に、

「はあ、人に期待するもんじゃないね。」と冷たい目をしながら言われた時に、僕は完ぺきな人間不信に陥った。

だから、山田先輩から学ぶことも不安でいっぱいだった。

☆

『この人、すごい!』

山田先輩と恐る恐る打ち合わせを始めて1時間、心の中で何十回もそう思った。

まず驚いたのが、記憶力。

まるで、目の前に青希がいると錯覚してしまうくらい、山田先輩は昨日の青希の言葉を話していた。

さらに、青希がサイトをつくる目的、〝入居者がつくったものを販売する〟ために、既に商品のラインナップとその商品のメリットまでを驚くほど把握していた。（山田先輩本人は、まだヒアリングが必要だと言っていたけど。）

また、その商品の見込み客層も既にリサーチしてピックアップしてあったし、そこからデザインや商品説明の文章など…とにかく、ありとあらゆることが既に組み立てられてあった。

「私が責任持ってやります。」と客前で言った後、会社に戻り、僕に向かって「いい感じにやっといて。」と一番困る振り方をしていた部長とは大違いだ。

あまりのクオリティーに徹夜したのかと思っていたら、今日の午前中に組み立てたようだ。

「天才ですね！」と言うと、「慣れだよ。」と照れくさそうに山田先輩は答えた。

『この人、完全に信じてくれているなって思えた。』

昨日、青希が山田先輩について、そう言っていた理由がわかった。

青希の言う通り、先輩は青希を信じている。

だから、こんなに青希の言葉を大事にして、青希の理想を叶えるために突き進めるんだと思った。もし無理だと思っていたら、こんなに真剣に取り組むことなんてできやしない。それを山田先輩から感じていたんだ。

「もっと良くするためには、どうすれば良いと思う?」

十二分なほどに考え抜かれたと思える説明を終えた山田先輩が僕にそう訊いた時は、その貪欲さに、青希と血が繋がっているんじゃないか?とすら思えた。

懸命にお客さんのことを考えている山田先輩を心から尊敬した。

もう既に、先輩が営業成績1位の理由がわかった気がした。

☆

「良くなるためには、どうすれば良いと思います？」

この人から学びたいと心から思った僕は、打ち合わせが終わった後に、そう切り出した。


「え？　サイトの話？」

「あ、いえ。僕が良くなるためには、どうすれば良いと思いますか？」

慌てて言い直したけど、山田先輩は首を傾げ続けていた。

「良くなら、るて、ぐ、具体的には？」

さっきまで噛んでなかったのに、いきなり噛み出した。もしかしたら、テンションが下がると噛みやすくなるのかもしれない。

「もっと山田先輩みたいに仕事で結果を出したいんです！」

勇気を出してそう伝えると、無表情なまま先輩の耳がみるみる赤くなった。しまった！　怒っているのかもしれない。「自分で考えろ！」と言われるのかもしれないと身構えた。

「う、嬉しいな…。」

耳をかすめるほどの小さい声で先輩はそう言った。

「ご、ご飯でも行く？　よ、良かったらだけどど？」

まだ噛み続けているから、テンションが下がったままなのかもしれないけど、先輩から誘ってくれている。

「ぜひ、お願いします！」

もしかしたら、食事の誘いを僕から断られると思ってテンションが下がっているのかもしれない。そう思った僕は、先輩が安心してくれるように、大きめの声でそう答えた。


2人で訪れたお店は、どこにでもあるチェーン店の居酒屋で、月曜日にもかかわらず人で溢れていた。隣の席が近かったせいで、普通に話すと会話ができないくらい騒がしかった。いつもの僕だったら不機嫌になるところだ。だけど、その騒音を忘れるくらい、とにかくよく話した。

でも、よく話したのは先輩じゃなくて僕だ。

今の状況から、具体的にどう良くなりたいのか?ってことまで、僕が言葉に詰まっている時も先輩は辛抱強く聞いてくれた。そのおかげで、頭の中がすっきり整理できた。

そして、僕の話が終わると、先輩はゆっくりと、だけど周りの騒音に負けないボリュームで話し始めた。

18. なんでやりたいことが変わるんだと思う?

営業部の中で、極端に外出が少ないのに営業成績1位の山田先輩。

その秘密を知ることができる。お客さんの心を掴む言葉や、お客さんに申し込みを促す言葉を知ることができると思うと、胸の鼓動が速くなるのを感じた。

だけど、先輩が伝えてくれたのは、心を掴む言葉でも申し込みを促す言葉でもなかった。

「一番大事なのは、相手の話を聞いて、知ることなんだ…。」


当たり前のことをやたらと丁寧に話す山田先輩。

一瞬バカにされているのかと思った僕は、山田先輩が話し終わる前にこう言った。


「いや、いつも聞いてますよ。」

「うん。聞いてると思うよ。もっともっと聞くって意味だよ。」

「え？　どういう意味ですか？」

「鈴木はさ、頭の回転がね、速いんだよ。」

頭の回転が速い。そう言われて悪い気はしなかった。


「頭の回転が速いから、すぐに理解したつもりになっちゃうでしょ？」

「理解した…つもりですか？」

「うん。さっき、おれがさ、『一番大事なのは、相手の話を聞いて、知ることなんだ…。』って言った時に、『いつも聞いてますよ。』ってすぐ言ったじゃん。」

確かにそう言った。

「おれ、まだ話し終えてなかったんだよね。そしたら、伝えきれないじゃん。」

苦笑いしながら先輩は言葉を続ける。

「鈴木のお客さんも、鈴木に全部伝えきれていないのかもよ?」

何も言い返せずにいる僕に、山田先輩は言った。


「自分のことをわかってくれようとしてくれなかったら、信頼できないよね。」


先輩の言葉を遮ってしまった僕は、頷くしかなかった。

「全部聞かないと、お客さんがどんな人かわからないでしょ?」

今度は山田先輩が話し終えたのを確認するために、5秒ほど間を置いて口を開いた。

「いや、でもお客さんが必要なことは理解してると思いますよ。」

お客さんのことを理解している自信はあった。

そうじゃないとウェブサイトなんてつくれるはずがなかった。

「うん。もしかしたら、理解しているのかもしれない。だけど、理解しているつもりになっているだけかもよ?」

「どういう意味ですか?」

つもりつもり…。

さっきから繰り返されるその言葉に苛立ちを隠せないまま質問した。

「うちのウェブサイトの解約率ってどのくらいか知ってる?」

解約率…。正直、知ろうとしたことすらなかった。

だけど、知らないことを知られるのが恥ずかしくて何も言えずにいると、先輩が口を開いた。

「契約1年目で、3割。2年目で、6割。」

「え!? そんなに多いんですか?」

思わず驚いてしまった。そのせいで知らないのがバレたかと慌てたけど、先輩に気にした様子はなかった。

「ちなみに、鈴木のお客さんは、1年目で6割がやめてるんだよ。」

「え？」

僕のお客さんからの『やめます。』って連絡は当然僕のところに入るから、薄々気づいてはいた。だけど、こうやって数字にしたことはなかった。そうすると、落ち込んでしまう気がしていたからだ。…そして、今、やっぱり落ち込んでいる。

「その理由ってわかる？」

お客さんから『やめます。』の連絡をもらう時に、一番多かったのは『やりたいことが変わったので…。』という理由だった。そうだ！　僕のお客さんは起業したばかりの人が多い。だから、やりたいことが変わるのも仕方ない！

「やりたいことが変わったって理由が多いんですよ。」

仕方ないでしょ？と顔で訴えてみたが、山田先輩は頷く様子はない。

「なんで、やりたいことが変わるんだと思う？」

「起業したばかりの人が多いからですね。」

「なんで、起業したばかりの人はやりたいことが変わるの？」

「やってみたら違ったとか…。」

「何が違ったの？」

「…思ってたのと違ったとかじゃないですか？」

「どう思ってたと思うの？」

「もっと売上が上がると思ってたとか？」

自分で口にした答えに違和感を抱く。

もっと売上が上がる？　だったら、そのためのウェブサイトをつくった僕にも責任はある…。


「他には？」

責められるかもとビクついていた僕に先輩は淡々と質問を続けた。

『…売上以外でお客さんたちは何を望んでいたのか？…』答えが見つからない。

というか、売上以外に望んでいることなんてあるのか？

「解約したお客さんたちは、やりたいことが変わったわけじゃないと思うよ。むしろ、ほとんどのお客さんは、やりたいことは変わってないんじゃないかな。」

「え？」

先輩が言っている意味がわからなかった。

「仕事する人ってさ、まして起業までする人って〝人を幸せにしたい〟って気持ちが強い人だと思うんだよね。だから、〝人を幸せにしたい〟という「やりたいこと」はなかなか変わらない。ただ、その過程を、人を幸せにするまでの過程を、十分にイメージできていなかったんじゃないかな。」

〝人を幸せにしたい〟という「やりたいこと」…。

先輩の言葉を聞きながら、今まで出逢ってきたお客さんを思い出していた。

「困っている人を助けたい。」「自分の仕事で、もっと幸せになってもらいたい人がいる。」そういうことを口にしている人が次々に頭に浮かんできた時、先輩の次の言葉が耳に入ってきた。

「お金があれば必ず幸せになるってわけじゃないんだよね。いくらお金があっても、人のためにならない仕事をしていたら幸せだって感じられないから。」

19. 一度決めつけると、その理由ばかり探しちゃう。

「お客さんの中にさ、人間関係で悩んでいる人いなかった?」

山田先輩から、そう訊かれて何人もの人が頭に浮かんだ。

「確かに、過去に何度か担当していたお客さんから、そんな相談を受けたことがあります。」

「そのお客さんたち、売上は大丈夫だったでしょ?」

「えーーっと…、そうですね。売上はありましたね。」

「その人たちから相談受けた時、なんて答えてたの?」

必死で思い出して、正直に答えた。

「『色んな人がいますからね。中には、そういうお客さんもいますよ。だけど、売上が上がっているから気にしないで大丈夫ですよ。』…って言っていました。」

「なんでそう答えたんだと思う？」

「売上が大事だと思っていたから…ですね。」

「お客さんとうまくいっていないことを悩んでいるお客さんに対して？」

「…。」

そう言われると、確かに、僕はお客さんたちの話を無視していた気がした。

それは、お客さん全員が〝売上を上げるため〟にウェブサイトの制作を依頼してくるんだと思っていたからだ。だけど、売上だけじゃなかったのかもしれない…。

「その後、そのお客さんたちはどうなったの？」

「…売上が下がっていきました。」

「なんでだと思う？」

「…なんでなんですか？」

山田先輩は、頷いた後、一呼吸置いて話し始めた。

「売上を上げたくなくなるからだよ。」

「…え？」

「いくら売上が上がっても、お客さんの喜びが感じられなかったら、幸せは感じられないでしょ？　幸せじゃないと仕事が嫌になる。集客自体をやりたくなくなるからだよ。」

山田先輩のその言葉に、無意識に頷いていた。

喜んでもらえないお客さんを集客することに嫌気がさすのは当たり前だ。

…僕自身もそうだったんじゃないか？　お客さんがウェブサイトをやめても、僕の営業成績には関係ない。だけど、『やめたい。』って言われるたびに嫌だった。そして、その嫌な気持ちは、僕の営業活動にも影響していたのかもしれない。

☆

「なんで？……なんで、こんな当たり前のことに気づかなかったんだろう。」

独り言のように呟いた。

売上しか気にしてなかった。売上に関することしかお客さんに訊かなかった。お客さんのことも、ただ「売上を上げたい人」としてしか見ていなかった気がする。それ以外、何も知ろうとしなかった。…そして、実際に知らなかった。


「初めてのお客さんってどんな人だった？」

黙っていた山田先輩が口を開いた。


「初めてのお客さん…。初めてのお客さんは、部長と行った営業先で出逢った健康食品を販売している会社の社長でした。

『おたくでサイトつくったら絶対に売れるの？』と言われて、部長が『売れますよ。』と答えて契約してもらいました。」

「そうなんだ。その後は？」

「その後は…、結局売上が上がりませんでした。ウェブサイトの制作費用もいまだに未払いのままで、結局連絡がつかなくなりました…。」

「それかもしれないね。」

山田先輩は、そう言いながら頷いた。

「人って、今までの経験から、勝手に相手を決めつけがちなんだよ。

世の中には、「売上が大事だ。」って言ってる人もたくさんいる。だけど、よくよく話を聞いてみたら違うんだよね、実際は。

売上至上主義の人におれは一度も会ったことがないんだよね。」

山田先輩は、ビールを一口飲んで喉を潤した後、言葉を続けた。

「例えば、その健康食品会社の社長さんは、一見、売上至上主義に見えるかもしれない。だけど、本当に売上だけ、お金だけ欲しかったら、健康食品を販売するよりも儲かる仕事はある。多分、最初は健康な人を増やしたいと願ってスタートしたんだと思う。だけど、いつのまにか売上が欲しいって欲求に頭が占領されてしまったのかもしれないね。」

山田先輩の話を聞きながら、健康食品会社の社長の疲れきった顔を思い出した。

「相手が言ってる言葉だけで相手を決めつけない方がいい。人って一度決めつけると、その理由ばっかり見つけちゃうからさ。」

「確かに、そうかもしれませんね・・・。」

「売上さえ上がれば良いって決めつけると、その話ばっかりして、無意識に相手を誘導しちゃう。だけど、相手は一時的に誘導されただけだから、後で違うって思う。あいつはわかってないって思う人もいる。たとえ、自分が言い始めた言葉だったとしてもね。」

「だからね、知ることが大事なんだ。聞くことが大事なんだ。そのために大事なのは…。」

次に、山田先輩が言った言葉を、僕は今朝買ったばかりのメモ帳に書いて線を引いた。

「どんな人と、どんなお客さんと出逢いたいか？　その人と、どんな時間を過ごしたいか？　そして、どうなってほしいのか？を知ることなんだ。」

20. 嫌な人とばかり過ごしていたら、心がすり減ってしまう。

「鈴木の悩みって何？」

「さっきも話しましたけど、今は部長との関係ですね。」

「他には？」

「それと関係してますけど、営業成績ですね。」

「他には？　プライベートも含めて。」

「うーーーん、体型とか？」

「体型はなんで悩んでるの？」

「いや、太ってるから…。」

「鈴木の悩みって、全部人間関係だよね。部長との人間関係、お客さんとの人間関係、体型は周りからみっともないと思われたくないっていう周りとの人間関係。」

そう言われてみたら、確かにそうだ。

「結局、人間関係の悩みがほとんどなんだよ。」

「それなのに、なぜお金の方に人が注目するか？って言ったら、わかりやすいから。数字って目に見えるからわかりやすいからね。あと、お金があったら働かなくて済む。嫌なお客さんを断れるとか、そっちの方の思考にも陥りやすい。…でも、それって忘れてるよね？　人に貢献したいって気持ちを。」

「いや、でも、人と関わるのが楽しくないって人もいるんじゃないんですか？」

「うん。いると思うよ。」

「だけど、人と関わりたくないと思っている人たちも、本当は関わりたいと思ってるんだ。」

意味がわからなかったので首を傾げていると、山田先輩は頷いて質問を続けた。

「宝くじって買ったことある？」

「いや、ないですけど。」

「じゃあ、宝くじ買って10億円当たったら、何する？」

「正直に、ですか？」

と訊いたら、山田先輩は笑いながら頷いた。


「会社辞めます。」

「そうか。その後は？」

「旅行に行きます。」

「で、その後は？」

「家を買います。」

「どんな家？」

「…高層マンションの最上階とか？」

「なんで、高層マンションの最上階なの？」

「え？……友達に自慢したいからかな。」

「ほら、結局、関わりたいんじゃん。」

「…あ、本当だ。」

「おれ、死ぬまでに使いきれないようなお金持っているお客さんにもいっぱい会ってきたんだ。会えば会うほど感じたのが、お金と幸せってイコールじゃないことなんだよね。」

「…そうなんですか？」


「死ぬまでに使いきれないお金を持っている人で、お金を持ってるからもう何もしないっていう人に会ったことがないんだよね。それどころか、積極的に人と関わろうとしてる。お金を得る方法とか、幸せになる方法を伝えようとしている人ばっかりなんだ。」

隣の席で飲んでいるグループに人が合流して、声が一段とうるさくなった。それを見た山田先輩は声のボリュームをさらに上げた。

「お金も大事だよ。でも、結局、人間関係が幸せを決めるんだよね。だから、どんな人をお客さんにしたいのか？　そのお客さんと、どんな時間を過ごしたいのか？　そして、どうなってほしいのか？を知るのって大事なんだよね。」

ようやく納得できた。

そうだ。お金だけじゃなく、お金を得るまでの過程をイメージできていないから、嫌なことが起こるんだ。そして、嫌なことが重なれば重なるほど、お金を得るって目的自体も諦めたくなってしまう。

結果も大事。だけど、結果までの道のりで嫌な人とばかり過ごしていたら心がすり減ってしまう。

『どんな人をお客さんに？　どんな時間を？　どうなってほしい？』

山田先輩が教えてくれたその質問は、まさしく過程を知ることに繋がっていく。

『誰と会いたいか？　どんな時間を過ごしたいか？　どういう姿を見たいか？』その積み重ねで、仕事はできている。

それを大事にしているから、人との出逢いが楽しみになって、人を好きになれるんだ。

それをお客さんから引き出すことでお客さんの頭は整理されるだろう。サービスの詳細も明確化していくし、ウェブサイトの言葉もより伝わる言葉になる。

☆

ここに来る前、僕はすっかり山田先輩から心を掴む言葉や申し込みを促す言葉が聞けると勝手に思っていた。どう伝えれば良いのか？を教えてもらえると思っていた。だけど、教えてもらったのは「何を訊けば良いのか？」だった。

僕は、自分のメモ帳の表紙を見た。そこには、やけに張りきった字で〝言葉の伝え方〟と書いてあった。

今日の朝、メモ帳を買った時にシャープペンで書いたものだった。シャープペンで書いて良かったと思いながら、その文字を消してこう書き換えた。

〝言葉のトリセツ〟

山田先輩の話を聞いて、〝言葉の伝え方〟という表現に違和感を抱いたからだ。

大事なのは、「自分が何を伝えるのか?」よりも、「相手の言葉をどう扱うのか?」ってことなんだ。

だから、〝言葉のトリセツ〟と書いた。

今まで、僕は自分の言葉ばっかり気にして相手の言葉を大事にする意識すらなかった。…だから、うまくいかなかったんだ。

間違いに落ち込むと同時に、これからがすごく楽しみになってきた。そして、その高揚感を感じるほどに、ある思いが強くなっていった。

『もっと早く教えてほしかった!』

この話をもっと早く聞けていたら、もっと早く結果が出たに違いなかった。

「なんで今まで教えてくれなかったんですか？」

先輩を困らせないように、ふざけた感じを装って訊いてみた。


「うーん。知らなかったから…かな？」

「そうですよね。僕、山田先輩とあんまり話したことないですもんね。」

「いや、そういう意味じゃなくて…。」

先輩は、言葉を続けるのを躊躇しているように見えた。


「なんでも言ってください。」

そして、困った顔をしたまま少し笑って口を開いた。


「鈴木が仕事にやる気があるって知らなかったんだよね。どっちかって言うと、やる気がないように見えちゃってたわ。ごめん。」

先輩は、本当に申し訳なさそうに謝っている。

「だけど、今日訊いてくれた時、嬉しかったよ。ほら、聞きたい人に話さないと迷惑がられるだけだからさ。」

先輩からずっとそう見られていたんだ。…いや、僕がそう見せてしまっていたんだ。一度も訊かなかったから、一度も言葉にしなかったから、こんなに大事な時間を自分から遠ざけてしまっていた。

欲しいものを、欲しいって言わないと誰も何もできないんだ。

昨日、青希に言われた通り、

僕は傷つかないように生きてきた。
そのせいで、自分の世界を狭くしていた。

「お客さんは、〝売上さえ上げられればいい〟」「上司は、〝うっとうしい〟」「人は、〝自分を傷つけるもの〟」

いつのまにか、そんな〝決めつけ〟をつくり上げていた。

そして、まるでその決めつけを証明するために生きていたような気がする。そんな生き方をしていたから、誰からも〝本当に必要な言葉〟をもらえなかった。そのことに気づけただけでも、未来の可能性は無限に広がったように感じた。

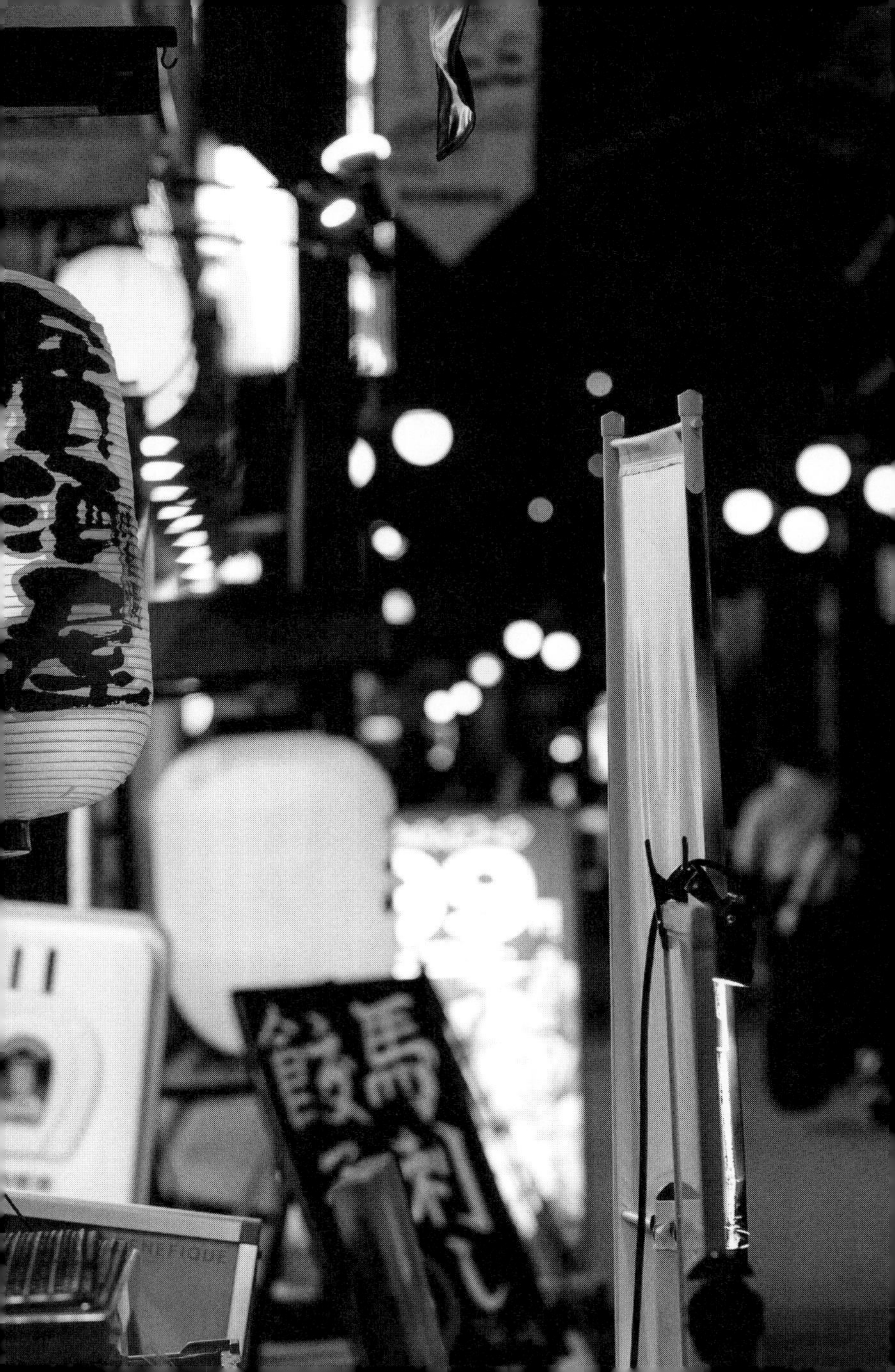

第四章
僕が幸せをつくれるようになるまで

21. 僕は、ロボットなんかじゃないから。

「何を考えていたんだろう…。」

山田先輩と初めて食事に行ってアドバイスをもらったあの日から3か月が過ぎた。

〝どんな人をお客さんにしたいのか？　そのお客さんと、どんな時間を過ごしたいのか??　そして、どうなってほしいのか?..を知る〟

先輩からそのアドバイスをもらった時は、うまくいくことを確信していた。

就職したばかりの頃、僕は散々セールストークの勉強をしてきた。心理学の勉強もしてきた。だけど、『お客さんの気持ちを一時的に高めて契約させる』という手法にどうしても抵抗があった。後々、お客さんから嫌われたり、恨まれたりすることが怖かったからだ。だから、結局実践することができなかった。

一方で、先輩からのアドバイスは、信頼されて契約してもらえるだけじゃなく、お客さんの結果に繋がると感じた。その方法だったら、心からやりたいと思うことができた。

そして、結果もついてくる。1位とは言わないまでも30位以内には確実に入ると確信していた。さらに、コツを掴めるようになったら、もっと営業成績も上がっていく。あの部長を黙らせることができる。「鈴木君、今までごめんね。」と手のひらを返してくるかもしれない。そんな場面までばっちりイメトレできていた。


その部長の前に僕は立っている。

だけど、部長は謝るどころかニヤニヤしながら下から舐め回すような視線で僕を見ていた。

いつもの壁には営業成績が貼り出されている。前回36位だった僕の営業成績。35位から上をたどっても名前が見当たらない。まさかと思いながら下に目を移すと、40位に名前があった！　40人中40位…。

今までなんとか逃れてきた最下位という順位を僕は獲得してしまった。

「あれ？　確か、結果出しますからって言ってなかったっけ？」

「…。」

「すごい結果出したね。…最下位って。」

部長の言葉に何も言い返すことはできない。

「おれの言うこと聞かないやつって、こうなっちゃうんだよな。」

『山田先輩は、部長の言うことなんて聞いてないけど、ずっと1位だろ！』と思った。

だけど、先輩にとばっちりが行くのを恐れて口には出せなかった。

部長に延々と嫌味を言われながら、部長の席の後ろの窓に映っている先輩の顔を見ていた。

☆

「…一度、お話だけでも伺わせていただけませんか？…」

「間に合ってまーす。」

ガチャ、ツー、ツー、ツー…。

「…あの10分だけでもお時間いただけませんか?」
「ハア⁉ なんで、あなたのために10分も使わないといけないの?」
「…お話を伺わせていただければ…。」
ガチャ、ツー、ツー、ツー…。

『どんな人をお客さんにしたいのか? そのお客さんと、どんな時間を過ごしたいのか?? そして、どうなってほしいのか?を知る。』

それをやれれば確かにうまくいったのかもしれない。営業成績も伸びていたと思う。だけど、それ以前にそれをやる機会に恵まれなかった。…話を聞かせてもらえる機会に恵まれなかった。

山田先輩と初めて食事に行った翌日から、毎日張りきってアポイントを取るための電話をした。だけど、これまで通り冷たく電話を切られた。〝相手のことを知る〟それ以前の問題だった。

「鈴木、電話する時に怖い顔し過ぎじゃない。表情って声に出るんだよ。」

その様子を見かねた先輩からそう言われた。それから懸命に笑顔をつくりながら電話営業をした。それから数時間後、アポイントが取れた。


「元気だねー。いいよ、いいよ。会ってあげるよ。」

「え？　いいんですか？　ありがとうございます！」

「今、忙しいから、2週間後ね。」

「はい！　もちろんです！　本当にありがとうございます！」


『元気だね。』そう言われたのは、初めてだった。

笑顔で電話することの大切さを教えてくれた先輩が神に見えた。

だけど、それ以降いくら電話してもアポイントは取れなかった。先輩の教えを守って笑顔で電話することを心掛けた。だけど、無理やりの笑顔は疲れる。そう思いながら先輩を見ると、驚くほど笑って電話していた。それを見て、これも才能の違いなのかな?と少し落ち込んだ。

☆

それから2週間後、僕はアポイントが取れた会社を訪れた。その会社は、古い雑居ビルの5階に事務所を構えていた。

この日の僕は気合いが入っていた。やっと山田先輩の教えを実践できる日が来たからだ。

ビルの5階までエレベーターで上がり、会社名が書かれているドアの前で手帳を開いて約束した時間と電話の相手を確認する。

「白鳥様、白鳥様、白鳥様…。」

相手の名前を間違わないように復唱した後、深呼吸してドアを開けた。

どの人が白鳥さんかな?と思いながら、「こんにちは。」と誰に向けてでもなく挨拶した。

すると、一番近い席に座っていた茶髪の20代後半に見える女性がこっちを見た。笑顔で会釈したけど、その女性から笑顔が返ってくることはなかった。

…僕の気持ち悪い外見のせいかもしれない。

嫌々立ち上がった様子の女性は、僕に近寄りたくないのか十分に距離を取って応対した。

「…どちら様ですか？」

会社名と白鳥さんと約束したことを伝えながら名刺を渡した。

その女性は、片手をめいっぱい伸ばし、黄色と青のカラフルなネイルが施された手で名刺を受け取って眺めた。その後、その表情がさらに曇っていくのがわかった。

名刺に書かれている『営業部』という文字を見つけた瞬間に、今まで何度も表情が変わる人を見てきた。この人もそのタイプなんだろう。

「…白鳥は、ただいま外出してます。」

不愛想にそう言われた時、約束の時間を間違えたかと心拍数が上がるのを感じながら、手帳をもう一度確認した。

…いや、合っている。もしかしたら前の打ち合わせが延びているのかもしれない。

「待たせていただいても、よろしいですか？」

「…ここ、待つところないんですけど。」

「…ドアの前で待たせていただいても良いですか?」

「…はあ、良いですけど…。」

「お手数ですが白鳥様がお戻りになられたら教えていただけますか?」


ドアの外にしばらく立っていると徐々に体が冷えてきた。

ビルが古いせいか室内なのに隙間風が入ってくる。そのたびに体がブルッと震えた。今までの僕だったら、きっと帰っていたと思う。でも、そうしなかったのは、山田先輩の教えをどうしても実践したかったからだ。

そして、『元気だね。』と言ってくれた白鳥さんに会いたいって気持ちが強かったからだ。


「どんな人なんだろう?」

今か今かと白鳥さんの帰りを楽しみに待っていた。

だけど、その後2時間、僕はドアの前に立ちっぱなしだった。

☆

立ちっぱなしのまま16時を過ぎた頃、小太りの40過ぎの男性が小走りでこっちに向かってきた。冬なのに汗を流しながら慌てて走ってきてくれている姿から僕は白鳥さんだと思った。

前の打ち合わせが延びたせいか、忘れていたのかはわからない。だけど、僕のために走ってきてくれたと思うと、少し嬉しかった。

だけど、その白鳥さんらしき人は、「こんにちは。」と挨拶する僕の横を微妙に頭を下げながら無表情で通り過ぎて部屋の中に入っていった。その直後に、さっきの女性の声が聞こえてきた。

「あ、白鳥さん。外で約束したって人が待ってますよ。」

その声を聞いて、やっぱり白鳥さんだったんだと安心した。

…だけど、白鳥さんの反応は予想していたものと違い過ぎた。

「約束？…約束なんてしてないけどね。」

「また、忘れてるんじゃないですか？」

「は？　忘れてないし！」

「いや、どっちでもいいんですけど、ずっと待たれてて気持ち悪いんですよ。」

「…ったく！」

ドアが開いた音が聞こえたので振り返ると、白鳥さんがドアノブを持ったまま立っていた。

「なんの用ですか？」

怒りを隠そうとしない冷たい目、口の片方が吊り上がっている。明らかに苛立っている様子だ。頭が真っ白になって、心臓がドンッと脈打っているのを感じた。

「…すみません。」

なぜだろう？　こっちが謝る理由はまったくないのに、情けないほど自然にその言葉が出た。

「2週間前にお電話させていただいて、お、お約束いただいたんですが…。」

「いや、おれそんな覚えないんだけどね。」

「…すみません。でも…。」

「もし、約束してたとしても、今そんな暇ないんだよ。迷惑だから帰って！」

「…すみません。」


エレベーターに乗ってビルを出た瞬間、2時間も立っていたせいか情けなさのせいか、足が震えた。だけど、座る暇があるなら、一刻も早くこの場を離れたかった。


「良かったよ。あんなのがお客さんにならなくて…。」

足早に歩きながら自分に言い聞かせるようにそう呟いた。


「忘れよう。忘れよう。次、次…。」

自分を慰められる言葉を探し、口に出し続けた。

「営業マンはロボットだ。いちいち傷ついてたら身が持たない。」

以前読んだ本の言葉を呟いてみた。

「そうだ！　ロボットだと思えばいいんだ。いちいち傷つかなくていい。」

ますます足早に歩きながら、そう口に出してみた。だけど、忘れたいのにさっきの出来事が頭で再生され始めた。

女性から向けられた冷たい目。寒い中、立ちっぱなしだった2時間。『ずっと待たれてて気持ち悪いんですよ。』の言葉。

白鳥さんが来た時に喜んだこと。電話で話した2週間前からずっと会えるのを楽しみにしていたこと。

『そんな暇ないんだよ。迷惑だから帰って！』の言葉。何も悪いことはしていないのに、僕の口から出た『すみません。』の言葉。

「くそ、くそ、くそ、くそ、くそ！」

もう、自分を慰めることはできなかった。

「…ロボットなんかじゃない。僕は、ロボットなんかじゃない。」

だから、ずっと立ち続けた足も痛いし、それ以上に胸が痛い。

22．これ以上迷惑かけられないから。

それ以来、僕は営業電話をかけることができなくなった。

今までも冷たくされることはあった。約束を忘れられることはあった。だけど、こんなに期待して裏切られることはなかった。…いや、違う。営業を始めたばかりの頃も期待していた。でも、その期待を裏切られ続けるうちに、いつしか期待するのをやめた。

それなのに、また期待したせいで…。

相手にも自分の未来にも期待し過ぎたせいで、この辛い感情を味わうはめになってしまった。もう二度と味わいたくない。そう思うと、どうしても電話をかけることができなかった。

だけど、貢献することはまだ諦められないでいた。

「どうやってアポ取ってるんですか？」

営業電話ができなくなった僕は、山田先輩にそう質問した。

「電話もするけどFacebookかメールが多いよ。」

「Facebookやメールでアポが取れたりするんですか⁉」

「Facebookやメールだと電話と違って文章が残るし、相手のタイミングで読むことができるからね。」

「…でも、電話じゃないとダメだっていう人もいませんか？」

「うん。そういう人もいるけど、そうじゃない人もいるんだよ。」

…また、決めつける癖が出てしまっていた。

電話にこだわる必要なんてない。できることからやっていこう。そう考えると、前向きになれた。

それから僕は、電話営業を一切やめてFacebookとメールでの営業だけをやることにしてみた。

だけど、メールは無視されるし、Facebookにメッセージを送ったら、かなりの確率でブロックされた。無視されるのは悲しかったし、ブロックされたのを知るたびにますます心がすり減っていく。それでもすがるようにパソコンに向かい続けた。

☆

「ねえ。それで仕事取れると思ってるの？」

パソコンに集中している時に急に話しかけられて顔を上げると、アカリ先輩が立っていた。

山田先輩と同期のアカリ先輩は、山田先輩に次いで営業成績2位の優秀な営業ウーマンだ。

ショートカットがよく似合う綺麗な顔をしている。言葉がきついことはあるけど、本当は優しいんだと思う。入社当初、僕にも色んなアドバイスをしてくれたから。

…ただ、そのアドバイスがハード過ぎた。

「電話営業の極意は、受話器と手をガムテープでぐるぐる巻きにすること。そしたら、うっかり休む暇もないから。」

「飛び込み営業は根負けしないことが大事。だから、どれだけひどい扱いを受けても、その場にい続けなさい。警察呼ばれるくらいになったら一人前ね。」

など、あまりにハード過ぎて僕は結局ひとつも実行することができなかった。

「最近、テレアポをやっていて、がんばっていると思って見直していたのに、また諦めたの？」

「…いえ、ネットを活用しようと思ってまして…。」

「汗もかかずに指だけ動かして…。そんなことで人は動かせないわよ。」

アカリ先輩は、そう言って立ち去って行った。

確かに、アカリ先輩の言う通りなのかもしれない。

だけど、頭ではわかっていても、どうしても受話器を取ることができなかった。飛び込みどころか電話営業すらできない営業マン。

もう、僕は営業マンとして終わっているのかもしれない。正直、もう投げ出したかった。だけど、山田先輩の手前、そんなことは口が裂けても言えなかった。

先輩は、この3か月間ずっと心配してくれていた。

「最初だからうまくいかないのは当たり前だよ。鈴木だったら大丈夫だよ。」

「鈴木なら必ずコツ掴めるようになるよ。」

そうやって慰められるほど、気遣われるほど、申し訳ない気持ちでいっぱいになった。心配をかけないように必死で笑顔をつくって、大丈夫だと言い続けた。

でも、結局その後、契約どころかアポイントが取れることは一度もなかった。

そして今、窓に映っている山田先輩は、今まで見たことがないほど悲しい顔をしている。

☆

「…あははは！」

給湯室の扉を開けようとした時に女性の笑い声が聞こえた。アカリ先輩の笑い声だ。

「…鈴木ってさ、ニヤニヤしてて気持ち悪くない？　パソコン見てる時の顔が気持ち悪くてさ。今度見てみて、爆笑だから。」

アカリ先輩の言葉に呼吸が苦しくなる。

「な、なんでそんなこと言うんだ？」

その時、山田先輩の声が聞こえた。

「いや、面白いからさ。」

「いいい、一生懸命なんだよ。鈴木は一生懸命なんだよ。笑うな！」

「…。」


情けなくて涙が溢れてきた。

2人に聞いていたことを気づかれないように、周りに気づかれないように、慌ててトイレに駆け込んだ。

ズボンのポケットから〝言葉のトリセツ〟を取り出して読み返す。

そこには、山田先輩からもらった言葉がたくさん書かれている。この3か月間の2人のやり取りが頭に浮かんできた。

いつも嬉しそうになんでも教えてくれた。落ち込んでいたら、いつも笑顔で話しかけてくれた。そして、いつも「大丈夫だよ。」って言ってくれる山田先輩。

『こんなにたくさんの言葉をもらったのに活かせなくて申し訳ない。』

これ以上、山田先輩に迷惑はかけられない。いや…、かけたくない。

…だから、もう終わりにしよう。

23. 最初から、かっこよくできることなんてないんだよ。

『今日8時に、うちね。』

トイレから出たタイミングで青希からLINEがあった。

今から3か月前、営業成績が発表される今日、青希の自宅に行くことを約束していた。

正直、憂鬱だった。あんなに丁寧にアドバイスしてもらったのに…。3か月前の青希の自宅で色んなことを教えてもらったのを思い出すと合わせる顔がなかった。

今日、結局山田先輩とは話せずじまいだった。というか、会うのを避けて外回りのフリをして昼過ぎに会社を出た。あてもなく散歩したり、本屋で時間を潰したり・・・。

そうこうしているうちに、６時頃には青希の家の近くに来てしまっていた。

「…あと２時間どうしよう?」

そう思いながら３か月前に青希たちがダンスをしていた場所を通りかかった時、音楽が聞こえてきた。

ナッちゃんたちかな?と思って近づくと青希がいた。汗だくになりながら音楽に合わせてジャンプし続けている。

突然、ドンッと低い音がして青希が地面に這いつくばった。

慌てて僕は近くの柱に身を隠した。

「大丈夫?」

声がした方を柱から覗いてみると小さな人影が見えた。

「パパ、もうやめようよ。」

「…ちょっと、待って。」

青希が、息を切らしながら答える。

「どうした？　お腹空いた？」

「ううん。お腹は空いてないけど…、恥ずかしい。」

ぎりぎり聞き取れるくらいのゆうき君の声が聞こえてきた。

周りを見渡すと、何人もの人が足を止め、倒れている青希を見ていた。

「ん？　ゆうきは恥ずかしくないだろう？」

「…うん、僕は恥ずかしくないけど、パパが…。」

「大丈夫だよ。パパはここでやめる方がよっぽど恥ずかしいんだ。」

そう言いながら青希は立ち上がった。


「最初から、かっこよくできることなんてないんだよ。かっこよくできるようになるまでやるんだ。そうしたら、『恥ずかしい』は、『かっこいい』になれるんだよ。」

ゆうき君が、首を横に振っているのが見えた。

「うーん、わかんないか。じゃあ、パパが見せるから。だから、パパのこと見ててほしいんだ。」

そう言った青希は、片足跳びを再開した。それを、つまらなさそうに見ているゆうき君の顔が見えた。

声をかけるタイミングを完全に逃した。そして、ますます出られなくなった。わけがわからない涙が次から次に出てくるからだ。

結局、2人が家に帰るまで柱の陰に隠れていた。そして、8時ちょうどに青希の家を訪れた。

24. 新しい行動をする時は、最初はうまくいかなくて当たり前。

「え？　言葉のトリセツ‼　それ、見せて見せて！」

今日もこの家は幸せの香りがする。

青希は、あさこさんがつくってくれた食事を頬張りながら、僕が書いた〝言葉のトリセツ〟に見入っている。この3か月間の出来事を青希に順に説明した。

山田先輩のアドバイスを実践したけど、うまくいかないどころか、以前よりも営業成績が落ちたことも正直にありのままに伝えた。

ここに来る前、いや、さっきの練習を見るまでは嘘をつく気でいた。青希の困った顔を見たくなくて、「うまくいってるよ」と伝えるつもりだった。

「すごいよ。ちゃんとやったじゃん。」

話を聞き終えた青希の第一声はそれだった。

「でも、結果は出なかったんだよ。意味なかったんだよ。」

そう言いながらも、どこかで青希の次の言葉を期待していた。

「人から聞いたことを実際に行動に移す。それができる人って意外と少ないんだよ。」

それはそうかもしれない。今までの僕がそうだったからよくわかる。だけど…、

「へこんだでしょ?」

青希は笑顔のままでそう言った。

「おれもへこんだもん。」

「え? 青希はすぐうまくいったんじゃないの?」

「いや、時間かかったよ。学び始めてから半年以上はかかった。」

意外だった。最初にうまくいかなかったのは聞いていた。だけど、てっきり青希は、人の話を聞いてからはすぐにうまくいったんだと思っていた。

「…でもさ、おれそんなに耐えられないかも。次にあんなことがあったら、もっと辛いし。」

さっき青希に話したせいで、白鳥さんとのことを鮮明に憂鬱になるほど思い出していた。

「うん。それ、きついよね。でも、ほらここ見て。」

そう言って青希は、〝言葉のトリセツ〟を開いて、ある一文を指さした。

『人って、今までの経験から勝手に相手を決めつけがちなんだよ。』

それは、山田先輩が僕に言ってくれた言葉だった。

…すっかり見落としていた。いや、目を逸らしていたのかもしれない。たった一人、この仕事を長年している中で出逢ったたった一人。その一人のせいで、僕はまるでこれから出逢う人すべてから同じ目にあわされると決めつけてしまっている。

青希は、頷きながら言葉を続ける。

「人間は基本変わりたくないって本能があるらしいよ。
だから、変わろうとする時に気持ちを無理やり高めるんだよ。」

確かにそうだ。僕も最初は異常なほどテンションが高かった。

「まるで、100パーセントうまくいくって約束されているみたいにね。」

確かに、そう思っていた。だから、楽しみだった。

「だけど、高めるから現実との落差に落ち込むことが多い。」

…その通りだ。だから、僕は怖くなるほど落ち込んでいた。

「今までと違う行動をする時は、最初は前よりうまくいかなくて当たり前だよね。ほら、ダンスもそうだったじゃん？」

…なんだろう。いつも青希の言葉を聞くと、自分を責めていた自分がバカらしくなる。

25. 諦めるのは、誰？

「最初からそんなに簡単にうまくいったら、面白くないじゃん。すべてが思い通りにいくなら、なんにも楽しくない。なかなかうまくいかないことがうまくいくようになるから面白いよね。」

青希がそう言った時に山田先輩の顔が浮かんだ。

青希の言う通り、自分だけのことだったら無理やりでも面白いで済ませられるかもしれない。だけど、僕は山田先輩まで巻き込んでしまっている。

「山田先輩に迷惑かけてるし…。」

青希の顔を見るのが怖くてうつむいたままそう言った。

「え？　山田さんから、迷惑だって言われたの？」

青希の驚いた声に逆に驚いた。顔を上げると、青希がもっと驚いた顔をしていた。

「いや、それは言われてないけど…、ダメなやつだなって呆れてると思うよ。」

「思う⁇　山田さんがそう言ったわけじゃないでしょ？　あの人は、そんな人じゃないんじゃない？」

「そんな人じゃない？」

「営業成績が悪かったから達也を迷惑だって思う人なの？　だって、今までも散々訊いてきたんでしょ？　ずっと一緒に悩んで考えてくれたんでしょ？」


…青希の言う通りだ。

山田先輩はそんな人じゃない。結果が出なくてもずっとアドバイスしてくれていた。僕のことを諦めないで信じていてくれた。迷惑だなんて一度も言われていない。

青希もそうだ。こうやって信じてくれている。当たり前の顔して僕の未来を信じてくれている。


『最初だからうまくいかないのは当たり前だよ。鈴木だったら大丈夫だよ。』

『鈴木なら必ずコツ掴めるようになるよ。』

ダメな自分を気遣ってくれていると思った山田先輩の言葉は、本音だったのかもしれない。

『それに、最初からそんなに簡単にうまくいったら面白くないじゃん。』

青希がそう言ってくれたのも、これから僕がうまくいくことを疑っていないからだ。

山田先輩も諦めていない。青希も諦めていない。諦めているのは…自分だけだ。

周りが自分を見捨てることなんてない。真っ先に、いつも自分が自分を諦める。

今まで、ずっとそうだった気がする。

入社した時の歓迎会でケガして出遅れた時、「周りと馴染めない。」と諦めた。合コンに誘われても、「こんな見た目だから。」と諦めた。営業成績がずっと悪かったのも、「才能がない。」と諦めた。

…そう。いつも、真っ先に自分を諦めるのは自分だった。

そして、今またすぐに結果を求めて、結果を出せない自分を嫌悪して、自分を諦めようとしていた。そうして、また「かわいそうな自分」になって、信じてくれた人たちを悲しませようとしていた。

「本当に迷惑をかけるのは、僕が自分を諦めることなんだね。」

そう言うと、青希は嬉しそうに言った。

「達也がうまくいったら、山田さん、めちゃめちゃ喜ぶよ。」

そんな先輩の喜ぶ姿を想像したらゾクッとした。

諦めることを諦めよう。

挑戦して結果を出せたら、青希の言う通りにきっと喜んでくれる。

山田先輩も、…そして、青希も。

☆

「このまま続けてれば良いと思う?」

「うん。」と言われれば、このまま続けるつもりだった。だけど、やっぱりこのまま続けることが怖かった。

「ちょっと待って、思い出すから。」

そう言って青希は目を閉じて考えている。そして、わかりやすく思い出した顔をして口を開いた。

「おれがさ、うまくいき始めた！って思えた時があったんだ。ああ、これで間違いないって。成功法則的なものを確立したって思ったんだ。調子に乗って、そういう本を出そうとまで本気で思ったくらいだからね。

でもね、その成功法則をスタッフに伝えてもスタッフはうまくいかなかったんだよ。おれがうまくいったことをそのままやってるはずなのに。

そのことをあさこに相談したらさ、『足りないんじゃない?』って言われてさ。

よくよくあさこの話を聞いてみたら、自分が当たり前にやっていることに気づけていなかったんだよね。」

イマイチわかっていないのが伝わったのか、青希は言葉をつけ足してくれる。

「例えばさ…、『笑顔でいた方が良い。』って言われて笑顔のつもりでも変な笑顔になってたりするじゃん。」

『パソコン見てる時の顔が気持ち悪くてさ。』

というアカリ先輩の言葉を思い出して表情が曇った。それを見た青希は、僕がわかったと思ったのか満足そうに頷いた。

「答えを持っている人全員が、正解をそのまま伝えられるわけじゃないってこと。山田さん本人が気づいていない、先輩のすごい当たり前を見つけてみなよ。」

その日、青希の家から自宅へ帰っている時に、大げさなガッツポーズのスタンプがLINEで送られてきた。山田先輩からだった。それを見て、諦めていたのが自分だけだったことに改めて気づかされた。その後、10分ほどかけて、もっと大げさなガッツポーズのスタンプを見つけて山田先輩に送り返した。

26. 相手が自分に興味を持ってないんじゃなくて…。

「先輩、それ何やってるんですか?」

翌日から、山田先輩の行動を隅々まで観察しようと思った僕は、早速質問をした。

だけど、先輩は相変わらず目を閉じて、手を伸ばしたり胸に当てたりしている。ずっと前から先輩が繰り返している儀式?的な動き。奇妙過ぎて見ないようにしていたそれも、何かの意味があるのかもしれない。仕方なくその儀式が終わるのを待って、耳栓を外した先輩に同じ質問を繰り返した。

「この人になってたんだよ。」

パソコンの画面を指さしながら、そう答えた。そこには、知らない誰かのSNSが表示されていた。

「この人になる??」

「そう。この人は、どんな状況なのか？　何を求めているのか？　それが知りたくてさ…。」

「…どうやってわかるんですか？」

「えーーと、文章読んで想像してかな？」

「…文章だけでわかるんですか？」

「わかんない時もあるよ。でもわかる時もある。…わかるまで読むようにしてるけど。」


色んな人のＳＮＳを今まで読んできた。だけど、いつも名前と仕事の欄しか読んでいなかった。文章なんてほぼ読んだことはなかった。


「で、わかったらどうするんですか？」

「わかったら、役に立てるかどうかわかるでしょ？」

「…で、この人はどうだったんですか？」

「うん。多分、役に立てると思う。…多分だけどね。」

そう言った先輩は、パソコンに向かい、その人にメッセージを送っていた。

それから数日後、その人と会うことになったと聞かされた。僕はすぐに先輩に頼み込んで同行させてもらった。

☆

「お会いしたかったんです！」

山田先輩は、その人にそう言っていた。

「2日前にブログに書かれていたことですけど…。」

先輩は、相手が驚くほどその人のことを知っていた。それくらい相手のSNSを読み込んでいた。

青希のところに一緒に行った時も、先輩の表情や言葉から高揚感を感じていた。だけど、あの時は先輩が青希のファンだからだと思い込んでいた。

でも、違った。先輩は会いに行く人一人一人のファンになっていた。そして、それが相手にも伝わっているのか、相手も山田先輩のファンになっていく様子が伝わってきた。

先輩は、営業部の中で一番外回りが少ない。イコール、一番閉じこもっている。その時間はネットサーフィンをしていると思っていた。そう思い込んでいた。

だけど、社内にいる時間、先輩はネットサーフィンなんかじゃなく、会いに行く人を探していた。そして、奇妙な儀式なんかじゃなく、耳栓をして、目を閉じて、手が自然に動いてしまうほど相手のことを想像していた。

そうやって、毎日毎日じっくり読み込んで、

「会いたい人」の中から、「本気で役に立ちたい」「役に立てる」と確信した人たちに会おうとしていた。

『そりゃあ、伝わるよな。』

先輩の本気の「会いたい気持ち」が相手にも伝わるから会ってもらえる確率は高い。

「ぜひ、お願いします。」

気がつくと、先輩は笑顔のお客さんからそう言われながら契約書を交わしていた。それを見ながら、先輩のかっこよさに震えている自分がいた。

営業という仕事がかっこいいと思ったのも、仕事で憧れの人ができたのも初めてのことだった。

その日の帰り道、白鳥さんとのことを思い出していた。

あの日、僕は相手のことを何も知らなかった。白鳥さんのことを何も知らなかった。ただ、『元気だね。』と褒められたことが嬉しかった。会いに来ていいと言われたことが嬉しかった。ただそれだけだった。

自分を認めてくれた気がしたから会いたかった。そんな自己中な理由だった。

もし、話をしていたら？　白鳥さんが約束を覚えていてくれて、話をさせてもらっていたら？……それでも結局契約には至らなかったと思う。役に立てなかったと思う。

それが電話の時に伝わっていたのかもしれない。片っ端から電話をかけているのが…。白鳥さんの役に本気で立ちたいと思っていないことが、伝わっていたのかもしれない。

「相手が自分に興味を持ってくれない。」
僕は、ずっと相手のせいにし続けてきた。
だけど、自分に興味を持ってくれない人との出逢いを積み重ねた結果、
「僕は興味を持たれない人間なんだ。」と思い込むようになってしまっていた。

だけど、違った。

自分が相手に興味を持っていなかっただけだった。

そんなやつに興味を示してくれる人なんていない。…やっと、本当の「どうすれば良いか？」が見えてきた気がした。

27. あんなに人が怖かったのに、会いたくなった理由は？

さっそく実践しようとして、いきなり行き詰まった。

どうやったら会いたい人をネットで見つけられるのかがわからなかったからだ。山田先輩に訊いてみると、「おれは、ＳＮＳでそのまま検索しているだけだよ。」と言われた。

「〝人が好き〟とか〝人を幸せにしたい〟とか…。」

「…。」

恥ずかしげもなくそう言った先輩を素直にすごいと思った。だから真似した。すると、たくさんのＳＮＳが見つかっていった。

ネット上だけだったけど、それでも、一人一人を知っていく中で大きな変化があった。それは、人が怖いという感情、人が苦手という感情が自然となくなっていたことだった。

僕は、今まで人が怖かった。でも、それは知らないから怖かっただけなのかもしれない。知れば知るほど怖くなくなった。それどころか、会いたくなっていった。

読めば読むほど「会いたい人」が増えていった。

その人たちの活動に、その人たちの思いに共感したり、感動したからだ。そうやって、「役に立ちたいと思う人」が増えていった。会って役に立ちたい人、その人たちのことを知れば知るほど気づいたことがある。

〝相手の立場に立つこと〟

以前、先輩が伝えてくれたその言葉の本当の意味を僕はわかっていなかった。

当たり前だと思って、聞き流してしまっていた自分に腹が立った。

どういう経緯で今の仕事をするようになったのか？　どんな経験を通じて今の考え方に至ったのか？　そんなことが本音で書かれている人たちのSNS。

それらを読めば読むほど、知れば知るほど、その人たちのことを他人事とは思えなくなるほど感情移入していった。それは、まるで映画を観ているようだった。

『たった2、3枚の紙きれで一体何がわかるんだろう？』

就職活動をしていた時、履歴書で落とされ続けた僕はそうぼやいていたのを思い出した。それなのに、ずっと自分が相手に同じことをしていた。

28.「どうなりたいか？」がわかったから、「どう思われたいか？」が必要になる。

「ご飯ばっかり載せてる30歳のオジさんだな。こいつ、だから太るんだよ。」

会社でFacebookを見ながら、僕はブツブツと呟いていた。

「す、鈴木、お前、性格悪いな。」

コーヒーカップを片手に山田先輩がそう言いながら近づいてきた。

そして、コーヒーを口に含みながら僕のパソコン画面を覗いた瞬間、

「グハッ、グホグホグホグホ…。」と、コーヒーを吹き出した。

「ちょっと勘弁してくださいよ！」

慌てながら、だけど、笑いながら先輩に向かってそう言った。

「ゴホゴホ…。いや、ご、ごめん。でも、これ…ゴホゴホゴホ…。」

なぜ、僕がアポイントを取れないのか？　なぜ、先輩に言われた通り、メールを送っても、Ｆａｃｅｂｏｏｋのメッセージを送っても、無視されるのか？　その理由がわかった。理由は、僕のＦａｃｅｂｏｏｋの投稿だった。

「ご飯ばっかり載せてる30歳のオジさんだな。こいつ、だから太るんだよ。」

僕は、僕自身のＦａｃｅｂｏｏｋを見てそう呟いていた。

青希と再会した次の日に、僕は青希からＦａｃｅｂｏｏｋを見られたことに気づい

た。そして、嬉しいと思ったと同時に恥ずかしいと思った。恥ずかしいと思ったのに、『イカ最高！』の投稿を消しただけで何もしていなかった。

3年前から放置しているSNS。

誰でもいい、誰かに「いいね！」をもらいたいという自己中心的なSNS。この3年間のことが空白になっているSNS。

そんな人間に安心して会いたいと思う人はいない。まして、うちはウェブサイト制作会社。ウェブサイトは「伝える」ことが仕事だ。その伝えることを仕事にしている人間が、伝えることを放棄しているんだから。

自分だったら？　自分が仕事のために毎日投稿して、毎日伝え続けて…。

そんな時に、伝えることを放棄している人間から「あなたの役に立てますよ。」と言われたら？

…信用なんてできるはずがない。

〝人の立場に立って初めて、自分と向き合うことができる〞

それに気づくことができたのも、先輩を見続けたおかげだった。

「早く結果を出したい」と思っていた僕は、「山田先輩が、お客さんにどう声をかけているか？」しか見ていなかった。だけど、先輩のFacebookページを注意深く見続けるうちに、頻繁に…というか、ほぼ毎日投稿していることがわかった。

「どんな悩みを持っているお客さんと出逢いたいか？」
「どんな時間を過ごしたいか？」
「その人にどうなってほしいか？」

そんな投稿を見ながら、カバンから〝言葉のトリセツ〟を取り出して、あるページを開いた。

『誰と会いたいか？　どんな時間を過ごしたいか？　どういう姿を見たいか？を知る。』

それは、今まで何度も見た先輩の言葉だった。先輩自身がそれを伝えていたんだ。だから、見ている人にそれが伝わるんだ。

「私も同じ悩みを抱えている。」「私もそんな時間を過ごしたい。」「私もそうなりたい。」

そんな人たちが先輩の言葉に共感して、心が動いた結果、先輩のことを必要とするんだ。

「あれ？　そう言えば？」

〝言葉のトリセツ〟をめくって、青希の言葉のページを探した。

〝どうなりたいか？の先に、どう思われたいか？がある〟

その言葉を見つけた時、青希が伝えたかった本当の意味がわかった。

青希からＬＩＮＥで送られてきた時は、単純に「どう思われたいか？ばかりを気にするな。」という意味だと思っていた。

でも、違う。

僕は「人を幸せにするための仕事」をしている人たちの役に立ちたい。

その「どうなりたいか？」がわかったから、そのために、その人た

ちに「どう思われたいか？」が必要になるんだ。

「人を幸せにするための仕事をしている人たち」に、僕は伝えたい。
だから、「人を幸せにするための仕事をしている人たち」だけに伝え続けていこう。
そう決意することができた。

29. 結果を出すための行動を、結果が出るまで…。

僕はＦａｃｅｂｏｏｋを毎日更新するようにした。
以前のように、ただ「いいね！」をもらうための投稿じゃなくて、〝どう貢献できるか？〟を意識しながら投稿するようにした。

『人を幸せにしたいと思っているのに、必要とされなくて悩んでいる人へ。』
『毎日こまめに発信しているのに、気づいてもらえない人へ。』
『貢献するために伝えたいことがある人へ。』

一人一人を思い浮かべて手紙のようにＦａｃｅｂｏｏｋの投稿を書き続けた。

その人たちが今どんな状況なのか？想像して書き続けた。

書くことは、営業電話やメールの１００倍、気が楽だった。そして、楽しかった。

電話で冷たく断られることも、メールで冷たい返信メールが来ることもないからだ。

だけど、気が楽だったのも最初のうちだけだった。いくら電話の時のように冷たい反応がなかったとしても落ち込むようになっていた。依頼が入るどころかコメントもつかないし、「いいね！」もほとんどなかったからだ。


だけど、そんな時は山田先輩を見た。


―どんな悩みを持っている人と出逢いたいか？

―その人とどんな時間を過ごしたいか？

―その人にどうなってほしいか？


相変わらず山田先輩はそれを書き続けていた。

そして、ずっとずっと前からそれを続けている。そのことを確認するたびに、ほんの少しやっただけで落ち込んでいる自分がバカらしくなった。

☆

山田先輩のＦａｃｅｂｏｏｋや、ランチの時に嬉しそうにお客さんの話をする姿を見るたびに、もうひとつ大事なことに気づけた。

〝自分のことよりも、相手のことを考える時間が多い〟

だから、僕も懸命に相手のことを考え続けた。自分への不安が襲ってくるたびに、相手のことを考え続けた。そして、懸命に書き続けた。

色んな人のＦａｃｅｂｏｏｋも読み続けた。感動したら、感動した理由を必死で探して、自分の文章にも反映させた。

相手のことを考えれば考えるほど、物事の見方が変わっていくことに驚いた。

今まで興味すら覚えなかったものにも目が行くようになった。『この本は○○さんの役に立つかもしれない…。この記事は○○さんのヒントになるかも…。』と。また、『今のうまくいっていない体験がもしかして誰かの役に立つのかもしれない…。』とさえ思えるようになった。

それでも結果が出なかったから、Ｆａｃｅｂｏｏｋだけじゃなくブログも教えてもらいながら始めてみた。それでも結果が出なかったから、インスタグラムも始めた。それでも結果が出なかったから、1日1回ずつの投稿を2回に増やしてみた。それでも結果が出なかったから、投稿を3回に増やしてみた。

昨日よりも今日が少しでも良くなるように、必死に学んで、必死に行動した。

そうしていくうちに、いつのまにか不安を覚えている時間もなくなっていった。

良くなることだけ考えることは、こんなに楽なんだ。

『あの時もそうだった・・・。』

ダンスに夢中になっていた学生時代。

運動神経が悪かった僕は、青希みたいに派手な動きができなかった。だから、ひたすら基本的な動きを練習し、磨いていった。必死に学んで必死に練習した。そして、少しずつうまくなるにつれて楽しくなった。自信がついた。

…成長することはこんなに楽しいってことを、今までずっと忘れていた。

山田先輩をよく知る前、僕は先輩をラッキーな人だと思い込んでいた。

そして、知り合ってからは「天才」だと思い込んでいた。だけど、そうじゃなかった。先輩も最初からできていたわけじゃない。結果が出るまでやり続けただけなんだ。

「結果を出すための行動」を「結果が出るまで」やっていただけなんだ。

そうして、夢中で知り続けて、伝え続けて、数か月が経った頃、僕の人生を大きく変える1本の電話が会社にかかってきた。

30. 僕にファン?ができた。

「鈴木、桜木さんって人から電話。」

「桜木さん…ですか?」

電話を繋いでもらった時は、初めて聞く名前に、てっきり不動産とか投資とかの営業電話だと思った。

「もしもし、お電話代わりました。鈴木です。」

「はじめまして。桜木というものですが、鈴木さんに、お仕事を依頼させていただきたいのですが…。」

あまりの不意打ちに驚いた。それは、僕が8年間仕事をしてきて、

「買ってください。」と頭を下げるんじゃなく、「売ってください。」とお願いされた初めての瞬間だった。

だけど、初めてのことに驚いた僕は…、

「え？　なんでですか？」

と声を上ずらせながら訊いてしまった。

「…あはは。」

そんな質問をしたにもかかわらず、電話の向こうから優しい笑い声が聞こえた。

「前々から、鈴木さんのＦａｃｅｂｏｏｋのファンで。お願いしたいと思っていたんです。」

「…そんなファンだなんて。」

「いつも鈴木さんのＦａｃｅｂｏｏｋのおかげで元気をいただいてます。毎日、楽しみに読んでるんですよ。本当に、ありがとうございます。」

その後、打ち合わせの日時を決めて電話を切り、しばらくボーッとしてしまった。もちろん、そのつもりで発信していたけど、信じられなかった。僕のＦａｃｅｂｏｏｋを見てくれていた人がいたなんて…。毎日、楽しみに見てくれていた人がいたなんて…。

「鈴木、どうした？」

呆然としている僕を気にかけて山田先輩が声をかけてくれた。たった今起きた夢のような出来事を先輩に話した。

「すごい、すごいじゃん！　良かったね！　本当に良かった。…がんばり続けたもんな。鈴木、がんばってきたもんな。」

先輩は5分以上、そんな言葉を言い続けてくれた。

自分のこと以上に喜んでくれる先輩のせいか、さっきの桜木さんの言葉のせいかわからないけど、僕の目にうっすら涙が浮かんできた。

☆

電話をくれた桜木裕子さんは、個人エステサロンを経営しているオーナーさんだった。その裕子さんとの打ち合わせ当日、僕は電話をもらった時と打って変わって、不安でいっぱいになっていた。

『鈴木さんのＦａｃｅｂｏｏｋのファンで…。』

電話で言われた時は、舞い上がるほど嬉しかったその言葉も、打ち合わせの日が近づくにつれ、重たーい言葉に変わっていった。

「実際に会って、がっかりされたらどうしよう…。」

初対面の人に冷たく見られ続けていた今までのトラウマのせいか、ずっとそればかり考えていた。

「はじめまして！　ずっと会いたかったんです。嬉しー！」

だけど、六本木の事務所まで来てくれた裕子さんは、大きな笑顔で僕のトラウマを一瞬で消し去ってくれた。そして、裕子さんの話を聞く気満々だった僕に、逆にたくさんの質問をしてくれた。

「どうやったら、あんな素敵な文章が書けるんですか？」

「いつも大事にしていることってなんですか？」

「どこかで勉強されていたんですか？」

お客さんから、そんなに質問されたのは初めてだった。そして単純に嬉しかった。


人から興味を持たれることの喜びを、自分の言葉を大切にしてもらえる喜びを感じていた。


そして、同時にこう思っていた。

『なんで、この人がうまくいっていないんだろう？』

事前にチェックしていた裕子さんのウェブサイトからは、お客さんを癒したい気持ちが溢れ出ていた。そして、今感じている素晴らしい人柄からも困っていることがあるとは思えなかった。だけど、集客はできていないらしかった。

裕子さんに対して質問をすればするほど、会う前にはわからなかった彼女の魅力が伝わってきた。しかし、それは、「会わないと伝わらない」ってことを意味していた。もちろん、会うからこそ伝わることもある。だけど、裕子さんの場合は、「会わないと伝わらないこと」が多過ぎると思った。

そのことに気づけたのは、山田先輩から教えてもらった2つの言葉のおかげだ。

『一番大事なのは、お客さんの話を聞いて知ることだと思う。』

だから、僕は事前に裕子さんを知ろうと思い、彼女のウェブサイトをじっくり見ていた。

『人って、今までの経験から勝手に相手を決めつけがちなんだよ。』

だから、事前に見たウェブサイトだけで決めつけずに裕子さんの話を聞けた。それができたからこそ、裕子さんの本当の魅力に気づくことができた。

裕子さんのウェブサイトからは、お客さんを癒したい気持ちが溢れ出ていた。

しかし、想いだけが伝わって、実際に裕子さんのサロンに行く場面、その後の場面をイメージすることができないサイトだとわかった。

つまり、集客するまでしか、申し込みまでしか考えられていないウェブサイトだった。そのことを裕子さんに伝えると、落ち込むどころか、喜びながらウェブサイトを依頼してくれた。

僕は、裕子さんに伝えた通り、集客するまでじゃなくて、集客した後までを…、お客さんが幸せになるまでを、お客さんがイメージできるウェブサイトをつくった。

申し込んだ後に何を準備すればいいのか？　当日は、どうやってサロンまで来た方がいいのか？　サロンでのカウンセリングから施術、施術後の流れ。そして、施術を受けた後にどうなるのか？　徹底してウェブサイトをつくり込んでいった。

裕子さんに出来上がったウェブサイトを見せると、「すごい。すごい。」と何度も喜んでくれた。いつも僕の言葉を１００パーセント信じてくれた。それは、８年以上働いてきて初めての経験だった。

さらに、僕はウェブサイトを裕子さん自身の手で更新してもらうことも提案した。それは、今まで「忙しいから。」「やる暇ないからやってよ！」とお客さんから散々嫌がられてきた提案だった。

だけど、裕子さんは、更新を嫌がるどころか、その更新できる機能に感動すらしてくれていた。

「たくさん更新しますね！」

その言葉通り、裕子さんはウェブサイト納品後も更新し続けてくれた。

31. 伝えたいことは、全部物語で。

納品から2か月後、裕子さんのウェブサイトのコラム数は60を超えた。

1日も欠かすことなく毎日更新してくれていた。

…だけど、まったく結果が出なかった。僕を信じてがんばってくれている裕子さんに申し訳なかった。

「鈴木、桜木さんから電話。」

だから、裕子さんから電話がかかってきた時は憂鬱だった。落ち込んでいたら慰めようと思っていた。そして、責められたら何を言われても謝ろうと思っていた。

「ごめんなさい。」

だけど、意外なことに謝ったのは裕子さんの方だった。


「…えっ?」

「私、ちゃんとできていなくてごめんなさい。」

「…いや、毎日更新してるじゃないですか。」

「ウェブサイトは更新できているんですが、SNSの方ができていなくて…。せっかく鈴木さんにアドバイスをいただいたのに・・・。言い訳になっちゃうのですが、ウェブサイトに必死で…。でも、コツがわかってきたのでSNSのことをちょっと質問させていただいても良いですか?」


裕子さんは落ち込んでなんかいなかった。僕を責めようとも思っていなかった。どうしたら良くなるか?だけを考えていた。

僕は、必死で裕子さんに以前伝えたはずのアドバイスをした。

待つことが基本のウェブサイトとは違って、ＳＮＳは、自分から率先して会いたい人たちと繋がっていった方が良いこと。その会いたい人たちの投稿をじっくり読むこと。

そして、その人たちの立場に立って、その人たちの気持ちになって、その人たちのための幸せの提案をすること。

既に伝えていた『誰のために、何をして、どう貢献できるのか?』をもう一度丁寧に伝えた。すると、思いがけない言葉が返ってきた。

「…誰のために、何をして、どう貢献できるのか?の書き方がイマイチわからなくて…。」

僕は、その言葉にハッとさせられた。

裕子さんが理解できていると思い込んでいた。僕が理解できたから誰でも理解できているものだと思い込んでいた。

確かに裕子さんのコラムを読みながら、正直イマイチだと思ってはいた。それなのに、僕は裕子さんに伝えていなかったことに気がついた。

「裕子さん、物語で書いてみたらどうですか？」

「え？　物語ですか？」

「僕が裕子さんの話で感動したのは、『こんなお客さんが来てくれて嬉しかった。』とか、『そのお客さんにしたことで、こんなに喜んでもらえた。』とか、『お客さんがこんな風になった。』とか…、全部物語なんです。」

裕子さんに話しながら、頭の中で何かが弾けた音が聞こえた。

「そうだ！　僕が感動する文章を書いている人って、物語で書いている人がすごく多いんです。僕がいつも映画を観ているような気持ちになれるのも、全部物語だからだ‼」

「…そう言えば、私が鈴木さんのＳＮＳに感動したのも物語だったからなのかもしれません‼」

裕子さんにそう言われて、さらに頭の中で大きな何かが弾けた気がした。

「伝えたいことって経験からしか生まれないのかもしれません。だから、伝えたいことは、全部物語で伝えられるんですよ！　物語って頭に絵が浮かびますよね。言葉から景色や人柄が見えて、同じ物語を経験できる。そうして、感情移入するんですよ！」

「ありがとうございます‼　私、やってみますね！」

思わず興奮してしまった僕に引っ張られるように、裕子さんも興奮してくれている様子だった。と同時に、どうしてこんなに信用してくれるのかが不思議になった。

「どうして、こんなに僕を信用してくれるんですか？」

「…前もお伝えしたじゃないですか。鈴木さんのファンだって。あと…、**鈴木さんも私のことを信じてくれている気がするんです。…なぜか、鈴木さんと直接お会いする前からそう感じてたんです。」**

その裕子さんの言葉を聞いた時、伝え続けて良かったと心から思った。

相手の立場に立ち、伝え続けることで、こんなに信じてもらえて、自分の言葉を大事にしてもらえる。

裕子さんとの電話を切った後、山田先輩と青希の顔が浮かんだ。
2人は僕を信じ続けてくれた。僕が諦めかけた時も、ずっと信じ続けてくれた。
そんな2人にほんの少しだけでも近づけた気がしたせいか、いつのまにか声を上げて笑っていた。

32. 伝えたい誰かがいるおかげで、伝えたい言葉が見つかる。

それから1か月後、裕子さんから手紙が届いた。

裕子さんのサロンは、半年待ちの予約状況になった。たった1か月で半年待ちの予約状況になったのは、正直不思議だった。裕子さんが、僕を喜ばせるために嘘をついてるんじゃないかとさえ思ったくらいだ。

だけど、裕子さんからの手紙を最後まで読んで納得した。

裕子さんがSNSを始める前に2か月間、毎日毎日書き続けていたウェブサイトのコラム。集客できなかったことで、そのコラムは意味がなかったように思っていた。だけど、そのコラムを読んで予約しようかどうか迷っている人たちがいたらしい。

その中の数人が、彼女が始めたSNSを見て安心して予約してくれるようになったそうだ。そして、彼女のエステに感動した人たちが、自分のSNSでサロンを絶賛してくれて、そこから一気に予約が殺到したとのことだった。

裕子さんの手紙の最後には、こう綴られていた。

『…運が良かった。』昔の私なら、それで片づけていたのかもしれません。だけど、今はちゃんと自分の手で掴めた実感があります。

鈴木さんと出逢う前の私は、〝誰のため〟っていう視点が抜け落ちていました。

〝お客さんのために〟とは思っていても、具体的にどんなお客さんかはイメージできていなかったんです。

だから、いくらがんばっても伝わらなかったんですね。本当に必要な人にも。

だけど、鈴木さんの話を聞いて毎日伝えていく中で、大切なことに気づくことができました。

言葉は、〝誰か〟に伝えるために存在している。
その〝誰か〟がいるおかげで、伝わる言葉が生まれるんですね。

誰かを想像できたから私の言葉が届くようになって、そのおかげで今があります。鈴木さんと出逢えたから、たくさんの大切な人に出逢えました。本当にありがとうございます。

その手紙は、今も僕の机の引き出しに大事にしまっている。

その後、裕子さんから許可をもらって、裕子さんとの出会いや経験もＳＮＳで伝えるようにした。さらに、裕子さんから紹介されたというエステサロンのオーナーさんや美容業界の人たちからも仕事の依頼が入るようになった。

その人たちは口を揃えて、こう言ってくれた。

「私も、裕子さんみたいになりたいんです。」

それは、自分が褒められた時の何倍も嬉しい言葉だった。

本当に幸せな毎日だった。

もっと多くの人と出逢いたい。

そして、貢献したい。そして、幸せを共に味わいたい。

そうやって僕は、ますます人に夢中になり、仕事にも夢中になっていった。

『お客さんを幸せにするためにお客さんを変えよう。』

裕子さんと出逢った頃、僕はそう思っていた。だけど、裕子さんのおかげで僕自身が変わることができた。

青希と山田先輩、そして、裕子さん。そして、そこから繋がったお客さんたち…。僕よりも僕のことを信じてくれる人と出逢えたことで、僕は大きく変わることができた。

第五章 僕があの人の希望になるまで

33. 営業成績トップよりも、嬉しいこと。

あれだけ苦しんでいたサザエさん症候群もすっかり治った。

それどころか、今は明日が来るのが楽しみで…。ダンスに夢中だった頃のように、逆に寝つけないくらいだ。

「お前、薬でもやってんの？」

山田先輩の真似をしてＳＮＳを読み込んで、目を閉じて、手を伸ばしたり胸に当てたりしている時、部長がそう言って冷やかしてきた。そのおかげで耳栓が必要な理由がわかって、帰りに耳栓を買った。

努力の押し売りをしてくるくせに、僕が努力していると冷やかしてくる。いや、努力という言葉は、今は違う気がする。…夢中。そう、とにかく夢中なんだ。

その日も朝から一番乗りでパソコンにへばりついていた。

最近は、毎日のように仕事の依頼のメッセージが届く。お客さんから紹介された人もいる。お客さんにはまだなっていないけど、会った人から紹介された人もいる。Facebookを読んでメッセージをくれる人もいる…。

そのひとつひとつのメッセージを読んで、その人たちのSNSを読んで、その人たちの立場に立ってメッセージを返信する。午前中はその時間に当てていた。

「なんか、すごいことやってるな。」

目を閉じて一人一人のイメージを膨らませていると、山田先輩にそう言われて笑われることが多くなった。

「いやいやいや、山田先輩の真似してるんですよ！」
「え？　おれ、そんな変な感じじゃないでしょ？」
「…いや、同じですから！」
「…。」

そんなやり取りすらも、楽しかった。

そして、そんな楽しい日々の中、その日は突然やってきた。

☆

部長から肩を叩かれて耳栓を外すと、何やら拍手の音が聞こえてくる。

「鈴木‼」

拍手の音に負けない大きな声で部長が呼んでいる。

営業部全員が、僕に向かって拍手する姿を見て、思わず「本当に薬やってたかな?」と思った。

「あれ？　もしかして気づいてないの？」

あっけに取られた顔をしているのに部長が気づいた。慌てて机の上に置いてある日めくりカレンダーを確認する。

『違う。誕生日じゃない。いや、誕生日だったとしても、今まで拍手で祝われたことなんてない。』

「来いよ。」

部長に促されて壁際に行くと、白い大きな紙が目に入った。営業成績が書かれた紙だった。

そして…、1位は相変わらず山田先輩だった。

2位に〝鈴木達也〟と書かれていた。

営業成績が上がったら部長になんて言ってやろう？

「部長のご指導のおかげで、こうなりました。」なんて嫌味を言おうかな？　いや、あの人、本気にしそうだからやめておこう。部長に嫌味を言って自分の評判が悪くなるようなこともしたくない。最小限の労力で最大のダメージを与える方法は…。

数か月前までは、そんなことばかり考えていた。それなのに、営業成績のこと自体すっかり忘れていた。なんでこんな大事なこと忘れていたんだろう？

そして…、

なぜこんなに感動がないんだろう？

もっともっと嬉しいと思っていた。8年間、ワースト5位だった僕が営業成績2位になるなんて想像すらしていなかった。想像以上の状態になったはずなのに、ちっとも嬉しくない。

「営業成績1位って、どんな気分なんですか？」

以前、山田先輩にそう質問した時を思い出した。その時の先輩の返事は、意外なものだった。

「それよりも嬉しいことがいっぱい見つかるよ。」

あの時は意味がわからなかったけど、今ならよくわかる。営業成績が2位になった今よりももっと嬉しいことを僕は経験していた。

会いたい人に会える時が嬉しかった。
会いたい人と話している時が嬉しかった。
会いたい人から必要とされた時は、もっと嬉しかった。

そして、その人が喜んでくれた時の方が今の100倍嬉しかった。

僕が喜ぶのを期待している部長を僕の目線は通り越した。僕がお礼を言うのは部長じゃない。山田先輩だ。

その先輩は、こっちに親指を立てながら口をパクパク動かしている。

「おめでとう。」

かすかに先輩の声が聞こえた気がした。そのおかげで、さっきまでの何倍も嬉しさが込み上げてきているのを感じていた。

34. また、僕は一人になった。

「おめでとう。乾杯！」

やたらと上機嫌の部長の声が居酒屋に響きわたる。その部長の隣に、まったくおめでたくない顔で仕方なく部長とグラスを合わせるアカリ先輩がいる。その隣にいる僕も慌てて部長とグラスを合わせる。次に、アカリ先輩とグラスを合わせようとしたらグラスを引っ込められた。

寂しく宙に浮いた僕のグラスに山田先輩がグラスを合わせてくれた。

成績優秀者ベスト5の飲み会があることをこの日に初めて知った。

ワースト5位の説教の時とは一転して、部長はずっとニコニコしている。その表情に慣れていないことと隣からガンガン浴びせられているアカリ先輩の殺気のせいで、正直居心地が悪かった。

「鈴木。」

さっきまで部長と話し込んでいたアカリ先輩に急に呼ばれた。振り向くと、お酒のせいか、アカリ先輩の目が据わっていた。

「あんた、次回からこの飲み会参加できないからね。」

「え?」

「今回2位だったのは、たまたまだって言ってるの! 偶然! 奇跡! ラッキーだって言ってるの！」

「…。」

「椅子に座ってるだけで、汗もかかずに指だけ動かして、人なんて動かせないからね。」

「…いえ、違います。」


最初は酔っているなら我慢しようと思っていたけど、思わずそう言ってしまった。


「はあ⁉　何がどう違うのか説明してみなさい。」

「…心、心も動かしています。」

「はあ⁉　何言っちゃってんの？」

「ＳＮＳを一生懸命に発信している人たちがいて、一生懸命に伝えている人たちがいて、その人たちの言葉に僕は心動かされてて…。そして、その人たちのために伝えていて…。それって、やり方が違うだけでアカリ先輩が電話や飛び込みでやっていることと同じだと思っています。」

「…。」

アカリ先輩は、途端に黙って考え込んでいる様子だった。

それを待っている時に、後ろからポンと肩を叩かれて振り返ると、山田先輩がウンウンと頷いていた。そして、「トイレ行ってくるな。」と安心した様子で席を立った。先輩の姿が見えなくなったと同時に、アカリ先輩が口を開いた。


「…どちらにしてもあんた、営業成績下がるよ。」

「…。」

「だって、あんた一人だったら何もできなかったじゃん。山田がいなきゃダメでしょ?」

「…そうですね。山田先輩のおかげです。」

「だったら、またダメになるね。」

「…え?」


「知らないの? だって山田、会社辞めるんだよ。起業するんだって。」

突然のことで理解できなかった。アカリ先輩が酔っ払っておかしくなっているんだと思いたかった。

トイレの方向に目をやると、ちょうど山田先輩がこっちに歩いてくるのが見えた。異様な空気を察したのか、「ど、どうした？　なんかあった？」と席に着くなり訊いてきた。

「…起業するって本当ですか⁉」

山田先輩の表情が明らかに曇ったのを見て、起業するのが本当なんだと悟った。状況を整理できずにいるとアカリ先輩が声を上げた。

「起業なんてやめなよ。山田、良い給料もらってるじゃん。起業した人の9割が潰れちゃうんだってよ。」

「…。」

山田先輩は、表情も変えず黙ったままだ。もしかしたら、まだ迷っているのかもしれない。

「…そうですよ。やめた方が良いと思います。」

思わずアカリ先輩に賛同した。だけど山田先輩は、ただ苦笑いしただけだった。

☆

あの飲み会の次の日から僕と山田先輩の関係はぎこちなくなった。

僕は、何度も何度も先輩を引き留めようとした。僕なりに起業について調べたけど、本当にアカリ先輩が言った通り、起業した人の9割が10年以内に廃業してしまうみたいだ。

そんな大変な道をわざわざ選ぶ意味がわからない。

だいたい、先輩は、営業能力は高いけど人を従える能力は高い気はしなかった。社員に騙されるかもしれない。そのせいで借金をするかもしれない。場合によっては、それで自殺に追い込まれるかもしれない。極端過ぎるかもしれないけど・・・。色んな理由が頭に浮かんで、それを必死で先輩に伝えた。

だけど、先輩は変わらず苦笑いするだけだった。

そして、あの飲み会から2週間後、山田先輩は退職した。

…山田先輩がいたデスク。今はもうパソコンも何も置かれていない空っぽのデスクを見ると、あの時のことを嫌でも思い出してしまう。

青希がいた病室。何も告げられずにリハビリ施設に移った日に、布団もマットレスもすべてが空っぽにかたづけられていた病室。

…あの時と同じだ。また大事な人がいなくなって…。

また、僕は一人になった。

35. 自分をナメてるってことは、今まで出逢った人たちのことも…。

「じゃあ、今日もよろしくお願いします！」

40人近くが集まる会議室。その40人の視線を一身に浴びながら僕は、笑顔で話している。

山田先輩の退職から1年が経った今、「営業マンの講師」という仕事を社内で任されるようになっていた。

正直、先輩がいなくなった直後は落ち込んでいた。ＳＮＳを更新しようとしても、先輩のことが浮かんできて更新することができなかった。

だけど、お客さんたちが僕に落ち込むことを許してくれなかった。既存のお客さんたちの紹介で、次々に色んな人から問い合わせがあった。最初は、正直腰が重かった。

『お客さんの喜びが感じられなかったら幸せは感じられないでしょ？　幸せじゃないと仕事が嫌になる。』

山田先輩は、そう言っていた。そして、その言葉はこのように言い換えることができる。

『お客さんの喜びが感じられたら幸せになれる。幸せだと仕事が好きになる。』

お客さんの喜びを感じ続けるうちに、いつのまにか仕事がどっぷり好きになっていた。だから、あれだけ落ち込んでいたのに動きたくなっていった。

そして、必死に未来を切り開こうとする人たちと出逢っていくうちに、いつのまにか落ち込んだ気持ちは消え去っていた。先輩がいなくなった寂しさを打ち消すように、僕はますます仕事にのめり込んでいた。

それから3か月後、僕は初めて営業成績1位になった。

☆

営業成績1位が発表されて数日後、突然部長から呼び出された。

「営業マンの勉強会をやろうと思っててさ。」

「え？　勉強会？」

「そう。営業部全体のレベルアップのための勉強会。最初は希望者だけって形になるけど、最終的には、全員参加するような勉強会にしたいんだよ。」

山田先輩が抜けた穴は間違いなく大きい。その穴を埋めなければいけない部長に少し同情した。

「…で、その講師を鈴木にやってほしいんだよね。」

「……え？……え⁉　僕ですか？」

「営業成績1位だからさ。」

「いや、こないだ1回だけじゃないですか？　アカリ先輩とかの方が…。」

「実は、アカリも了解してくれたんだよ。」

「え‼　本当ですか⁉」


無理やり決められそうだったけど、なんとか考える時間をもらった。最初は、正直断ろうと思っていたけど、一応青希に相談してみることにした。


「僕なんかじゃ無理だよね？」

その僕の言葉に青希は初めて声を荒らげた。


「達也は、自分のことをナメ過ぎだよ！　達也は、達也だけでできてるんじゃないんだよ。自分をナメてるってことは、山田先輩のこともおれのことも、今まで関わった人たちのこともナメてるってことだ

よ！」

その言葉を聞いた時、脳を直接殴られた気がした。

『山田がいなきゃダメでしょ？』

正直、アカリ先輩から言われた言葉を、否定できるようになりたかった。がんばった理由のひとつに自分だけでもやれることを証明したかったのもあった。だけど青希の言う通りだ。僕が一人でできたことなんて何ひとつない。

…そして、それでいいんだ。

僕は僕だけでできているんじゃない。山田先輩や青希や、今まで出逢ったみんなからできている。だから今があるんだ。

『勉強会をやってみよう。』

みんなから教えてもらったことを、ちゃんと伝えていきたい。みんなが僕に、そうしてくれたように。

☆

勉強会の初回の参加者は、たったの2人だった。その2人は、部長とアカリ先輩だった。あれだけ僕を批判していたアカリ先輩は、なぜか山田先輩が退職してから急に優しくなっていた。本当に不思議だった。

「これじゃあダメね。もうちょっと人集めましょう。」

そのアカリ先輩の提案に従って僕たち3人は、勉強会に人を集めるために声をかけ始めた。

「そんな時間あるなら仕事するよ。」
「おれには、そのやり方合わないよ。」
「人には人のやり方があるから。」

散々誘って、散々断られた。

昔の自分だったら吐いちゃうほどのダメージだったと思う。もしくは、怒り狂っていたかもしれない。

「せっかく、みんなのためにやってあげるのに…。」と恩着せがましく思っていたかもしれない。でも、悲しみも怒りもまったくなかった。それは、みんなの気持ちが痛いほどわかるからだ。

「そんな時間あるなら仕事するよ。」

以前なら僕もそう思っていた。人から学ぶことで効率良く仕事ができることを知る前は。

「おれには、そのやり方合わないよ。」

僕もそう思っていた。そのやり方を実際にやる前は。

「人には人のやり方があるから。」

僕もそう思っていた。もっともっと優れたやり方を知るまでは。

そして、だからこそ良くなってほしいと心から思えた。

良くなってほしいと思っているんだ。
〝やってあげる〟じゃなくて、〝やりたい〟んだ。

勉強会の参加者を集めるためには結果で見せることも必要だと思った僕は、営業成績を上げ続ける努力をした。そして、その方法を興味がありそうな数人に伝えると、その数人の営業成績が上がっていった。その姿を見て、一人、また一人と勉強会に人が集まるようになっていった。

そうして1年が経った今、営業部の全員が勉強会に参加してくれるようになった。勉強会は、僕が山田先輩から学んだこと、実践していることを共有することから始まった。

もちろん、山田先輩直伝のイメトレもやった。

最初は、その奇妙な動きを、ほとんどのメンバーが嫌がっていた。だけど、部長やアカリ先輩が率先してやるのを見て渋々みんながやり始めた。

営業部全員でのイメトレは圧巻で、言い出した僕が吹き出してしまって、みんなか

ら白い目で見られたこともあった。

部長とアカリ先輩は、勉強会でも、そうじゃない時も必死に学んでくれた。僕に質問もたくさんしてくれるようになった。2人ともFacebookまで始めてくれた。

☆

その後、部長が役員に働きかけてくれたおかげで、営業マン全員が会社のウェブサイトに自分のプロフィールページを持てるようにもなった。それを事前に営業先に見せることによって相手の安心感も高まり、部全体の成約率も上がっていった。

さらに、勉強会のメンバーが、互いに結果が出た行動を伝え合うようになった。一人が経験したことをみんなで共有することで僕らの経験値は増え続けた。

そうやって、一人が成長するとみんなが成長した。


みんなが『1』成長することは、僕一人が『10』の結果を出すことの何倍も嬉しいことだった。

そして、それはそれぞれのお客さんの成長にも繋がった。

勉強会で学んだこと、成果が出たことは、一人一人が担当しているお客さんにも提案できるようになった。その結果、お客さんも以前より成果を上げていった。


それは、決して僕一人ではできない大きな貢献だった。


1年前に完成した青希の施設のウェブサイト。そこにも、青希から学んだこと、先輩から学んだこと、出逢ったみんなから学んだことがたくさん盛り込まれている。

そのウェブサイトが噂になり、青希の老人ホームの入居者がつくった商品は売れ続けた。予約が3年待ちの商品もある。

青希の施設を再び訪れた時には、入居者の人たちから口々にお礼を言われた。

「あんたのおかげで、しばらく死ねなくなったわ。」

ブラックジョークをかましてきたおばあちゃんの嬉しそうな顔が、ずっと心に残っている。

人を幸せにすれば、自分も幸せになれる。

青希から伝えてもらったその言葉は、もう僕の中で当たり前の言葉になっている。勉強会のたびに、みんなにやり方を伝えるたびに山田先輩のことを思い出す。誰かが成果を出すたびに先輩の喜ぶ顔が浮かんでくる。だけど、そのたびに寂しさも感じた。

山田先輩に連絡しないまま時間が過ぎれば過ぎるほど連絡しづらくなっていった。起業って大変だから邪魔したくない。もしかしたら、もう忘れられているのかもしれない。たくさん連絡ができない理由をつくっては、連絡できないままでいた。

そして、結局、この1年間…、一度も先輩に連絡できずにいる。

36. わかり合えなかったあの人も、自分と同じだったんだ。

勉強会があったその日、部長とアカリ先輩に誘われて3人で飲みに行った。

2人とは仲良くなっていたけど、3人だけで飲みに行くのは初めてのことだ。乾杯してすぐに部長が昔話を語り始めたので、そういう気分なのかな?と黙って耳を傾けた。

部長は、部長になる前の一営業マンの頃、ずっと営業成績1位だったらしい。

その結果、部長に抜擢された。だけど、時代の変化によって部長の手法は通じなくなった。部長自身、そのことに本当は気がついていた。

でも、部長はしがみついた。自分のやり方を否定することは、自分の価値がなくなってしまうように思えたから。だから、昔のやり方を盲目的に部下に教え続けた。だけど、教えた部下はうまくいかず、人は離れた。それでも、部長は必死にしがみつくしかなかった。

そんな話を部長がするとは思ってもみなかった。

「悪かったな、鈴木…。」

急に部長から謝られて、驚いた。

「恥ずかしい話だが、愚直に山田に習っている鈴木を見て、はじめは笑っていたんだ。

うまくいくわけないって。おれが教えてうまくいかなかったお前がうまくいくわけないって。いや、心のどこかでうまくいってもらっちゃ困ると思っていたんだよ。だけど、みんなにバカにされながらがんばる鈴木を見て、いつのまにかすごいと思うようになっていた。そして、ついに結果を出したお前を見て大事なことに気づかされた。」

「・・・。」

「過去の延長に未来があるわけじゃない。だから、過去に縛られちゃいけないいって。」

…部長も自分と同じだったことに気づいた。

自分でつくった常識の中で過去に縛られて。その中で、がんばって…。きっと僕の何倍もがんばって、周りが見えないほど必死にがんばり続けてきた。

懸命に積み上げてきたものがあった。結果を出してきたものがあったんだ。それを、僕らに必死に伝えようとしてくれていたんだ。

「ありがとな、鈴木。大事なことに気づかせてくれて。」

照れくさそうに笑う部長を見て、部長と初めて出逢った日を思い出した。

不安いっぱいで入社した僕に、部長は笑顔で握手してくれた。

そして、この笑顔を奪ったのは…僕だったのかもしれない。僕は最初から部長を拒絶してきたのだから。

一度も部長の立場に立って考えたことなんてなかった。そして、自分がうまくいかないのを部長のせいにしてきた。一度も部長の言葉を大事にしようとしなかった…。

今の僕には痛いほどわかる。貢献したいのにできないことの寂しさが…。いても立ってもいられずに、僕は、そのことを部長に謝った。

部長は僕の言葉を聞きながら首を横に振り続けていた。部長と出逢って9年以上、何度も話してきたはずなのに、その日、僕らは初めて話した気がした。

37. どれだけがんばるか?じゃなくて…。

「ゴホン!」

わざとらしい咳払いが聞こえた方を見ると、アカリ先輩が苦々しい顔をしていた。

「部長…、ひどくないですか？」

「あっ、ごめん、ごめん。」

アカリ先輩に詰め寄られて、部長はひどく気まずそうな顔をしていた。

「いや、実は…、今日な…。」

「部長！　いいです！　私から、言いますから！」

部長を遮ってアカリ先輩が話し始めた。

「私ね、ずーーっと鈴木が嫌いだったの。」

「ちょっ…なんですか？　いきなり。」

「いや、ちょっと聞いてよ。…私は、テレアポや飛び込みを死ぬ気でずっとやってきた。」

いつも一番に出社して一番遅くに帰っているアカリ先輩の姿が頭に浮かんだ。

「それは、圧倒的な成果を上げて、みんなに認められたかったから。

だけど、結局一度も1位になれなかった。…ずっと山田がいたからね。それでも必死でがんばり続けていたのに、今度は鈴木にまで追い抜かれた。屈辱なんだよね！」

「…。」

「だから、追い抜かれた1年前のあの日、苛立って、あんたに八つ当たりした…。許せなかったの。必死でテレアポしたり、飛び込みしたりしてる私よりも、机に座って楽しそうに仕事をしている鈴木に追い抜かれたのが…。今まで努力と根性で結果出してきたからなおさらね。だけど、あの日の翌日、山田から鈴木が担当したクライアントのウェブサイトとSNSを見せられたの。」

キョトンとしている僕を見て、アカリ先輩は自分のスマホを僕に渡した。

『…鈴木さんに出逢ってから私は、お客さんのことがもっと好きになりました。そして、仕事がすごく楽しくなりました。』

以前、裕子さんが僕のことを書いてくれた記事だった。アカリ先輩は、僕が読み終わったのを確認して言った。

「私、今まで一度もクライアントに、そんな風に言われたことない…。なんで？　鈴木よりも私の方ががんばっているのに。」

アカリ先輩は、少し間を置いて、また話し始めた。

「…そう言ったら山田がこのSNSを見せてくれたの。」

そこには青希のSNSが表示されていた。青希が踊っている画像と共に、こんな文字が書かれていた。

『右足がなくても、踊れる。』

「この人、鈴木の友達でお客さんなんでしょ？　本当に右足がないのに踊ってるんでしょ？」

その言葉に、頷いた。

青希は、ちょうど1年くらい前からダンスのこともSNSにアップし始めた。「仕事に関係ないことなのに大丈夫なの？」と訊いたら、「おれを見て、勇気づけられたり、失ったものよりも今できることに気づいたりする人もいるでしょ。」と笑って言っていた。

「これを見た時、気づいたの。常識なんてないんだって。私は思い込みに縛られてたのかもしれないって。だって、鈴木は飛び込みやテレアポしなくても伝えられてるから…。

苦痛に耐えながらじゃなくて、楽しみながら仕事してもいいんだって。

人ってそれぞれ違うから、一人一人に合ったやり方をすれば良いんだって。それなのに、私、ずっと同じやり方にしがみついてた…。そして、それをみんなにも鈴木にも押し付けて、従わないとイラついて…。」

「・・・。」

「で、追い抜かれて、情けなくて苛立って…。大事なこと忘れてた。

大事なのは、『どれだけがんばるか？じゃなくて、どれだけ幸せにするか？』なんだよね。」

☆

アカリ先輩が話し終えたと同時に部長が口を開いた。

「1年前にアカリからこの話を聞いてさ…。今日、アカリが鈴木に伝えたいって言うから鈴木に来てもらったんだよ。…でも、おれが先に自分の話をしちゃったよ…。」

「部長、本当ですよ。話しにくかったじゃないですか！」

アカリ先輩は、怒った顔を装っているけど多分怒ってなんかいなかった。


「改めて、ごめんね。」

2人からそう言われて、ただ首を振ることしかできなかった。


「山田とは連絡取ってるのか?」

「いえ、あれ以来、連絡してなくて…。」

「…そうか。」

「もう、多分、僕のことなんて気にも留めていないと思いますし。」


「…忘れてないよ。」

アカリ先輩が口を開いた。

「……いや、だって、退職のことも相談されなかったんですよ。山田先輩にとって僕はその程度の存在だったってことですよ。」

「絶対に違うよ！」

アカリ先輩の声が急にきつくなった。

「1年前に、山田に起業を決意させたのは、鈴木なんだよ。」

「え？」

※※※※※

『山田さん本人が気づいていない、当たり前にしているすごいところを見つけてみなよ。』

山田先輩が退職する数か月前、青希にそう言われた僕は、先輩が気づいていない当たり前を見つけた。おかげで結果を出すことができた。そして、それを先輩自身に伝えたことがあった。

「僕が先輩から学んだこと伝えていいですか？」

きょとんとしている先輩に〝言葉のトリセツ〟を開きながら、詳しく説明していった。

先輩は、会いに行きたい人に会いに行っていること。SNSに投稿しているから信用を集められていること。その人を決めつけずに話を聞いているから適切な提案ができていること…。学んだことを次から次に伝えると先輩はすごく驚いていた。

その特別な行動を、やっぱり山田先輩は、「みんなが当たり前にやっている行動」だと思っていたらしかった。

「そうかー。伝えきれてなかったんだね。だから…。」

そう言いながら考え込んでいた。そして、僕が知らなかった過去のことを話し始めた。

僕は、先輩が周りから距離を置かれているのが不思議だった。むしろ、営業成績1位の先輩に学んだ方が得なのに…。

でも、みんな勇気が出ないだけなのかな？と思っていた。

でも、違った。

何人もの人が先輩のところを訪れたらしい。そのたびに先輩は伝えた。僕にしてくれたのと同じように伝え続けた。だけど、誰も結果が出せなかった。そして、みんな先輩から離れていった。

一度、先輩から離れようとしたことがある僕は、離れていった人のことをなんと言えばいいかわからずにいた。

「良かった。た、達也がいてくれて。こんなに、見ててくれたんだね。教えてくれて、あ、ありがとう。」

「達也のおかげで、これ、これから、ちゃ、ちゃんと教えられるよ。」

そう言ってくれた先輩に僕は、ずっと前から伝えたいと思っていたことを話した。

「先輩、噛み癖があるじゃないですか？」

傷つけるかもしれないと思って、ずっと言わずにいたことだった。

「そうなんだよー。む、昔からなんだよね…。」

「それ、多分なんですけど、治せるかもしれないんです。」

「え？」

僕は、ずっと先輩はテンションが低い時に言葉を噛んで、テンションが高い時にスムーズに話すと思っていた。でも、長く先輩を見ているうちに気づいたことがあった。

「先輩、声が大きい時は噛んでないんです。小さい声で話す時だけ噛んでるんです。」

「え‼」

先輩は、目を丸くしながら僕に背中を向けた。

「あめんぼあかいよあいうえお。」

先輩は大きい声でスムーズに早口言葉を言った。そして、次に小さい声で「あめめめめめ。」と噛みまくった後に、「本当だ！」と嬉しそうな顔をして振り向いた。

「いや、普通、小さい声の方から試しませんか？」

と突っ込むと、先輩はもう一度、

「本当だ！」

と言って、大きな声で笑った。僕もつられて大きな声で笑った。

※※※※※

山田先輩の退職のショックのせいか、そんなことがあったことをすっかり忘れていた。

「あの日の飲み会の翌日に山田が言ってた。鈴木のおかげで起業する自信がついたって。鈴木に教えるまではずっと自信持てなかったって。みんな、自分から離れていったって。だけど、鈴木のおかげで教え方がわかったって。」

アカリ先輩の言葉に、驚いた。

僕が山田先輩に起業を決意させた？　僕の営業成績が上がったから？　僕が山田先輩によって結果を出したから？　それって、山田先輩は、僕のために教えてくれたってわけじゃなくて…。

正直、嫌な感情が顔を出した。慌てて頭を振って、なんとかその感情を消し去ろうとした。

「実は、鈴木に勉強会の講師を頼んだのも、山田から言われたからなんだ。」

「え⁉」

急な部長の告白に思わず声を上げた。

「山田が抜けた穴がすごく大きくてさ。どうしたらいいか悩んで、アカリに相談したんだ。そしたら、アカリからさっきの話をされたんだ。そして、山田に連絡を取ってくれて山田と話したんだよ。山田が電話でこう言ったんだ。

『達也は、自分よりも人を見る力があります。達也が講師をやったら、きっとみんな結果を出せるようになります。』

その時は、正直半信半疑だった。だけど、鈴木がその後すぐ営業成績1位になったのを見て、言われた通りにお前に頼んだんだ。」


先輩がアカリ先輩に伝えてくれた言葉。

その言葉のおかげでアカリ先輩は優しくなった。

先輩が部長に伝えてくれた言葉。その言葉のおかげで部長は、僕に勉強会を勧めてくれた。

だから、2人は僕に協力してくれたんだ。そして、みんなが一体になれた。いや、その前からだ。

あんなに人が怖かった僕が、人間関係で悩んでいた僕が、人が大好きになったのも…。あんなに仕事が辛かった僕が仕事が大好きになったのも…。

青希と、先輩のおかげなんだ。

先輩がいてくれたから僕はこんなに成長できて、大嫌いだった自分のことが大好きになった。

「山田と今でもちょくちょく電話してるんだけどさ…。」

アカリ先輩の声でふと我に返る。

「いつも鈴木のこと訊かれるよ。そして、私が鈴木のがんばりを伝えるたびに、『あいつはすごい。あいつはすごい。』ってバカみたいに興奮して喜んでるよ。」

先輩は今でも僕を見てくれていた。忘れてなんかいなかった。忘れられてなんかいなかったんだ。

「『鈴木に直接連絡しなよ。』っていつも言ってるんだけど、『そのうちな。』って寂しそうにしててさ。鈴木から連絡してあげなよ。」

1年前、先輩が退職したあの日、僕は会社を休んだ。どんな顔して見送ればいいのかわからなかったから。

そして、その後届いた先輩からのＬＩＮＥも無視した。

『鈴木、がんばってな。』

そう書いてあった先輩からのLINEに僕は答えられなかった。あの日、がんばれる気がしなかったから。がんばれないなんて、送ることはできなかった。

だけど、今だったら…。

先輩がこの1年間、ずっと僕の返事を待ってくれている気がした。

38. あなたは、私の希望だから…。

「すご！　こんなに人気あるの？」

人人人…、人で埋め尽くされた会場は熱気で溢れている。ブレイクダンスの世界大会の日本予選の会場に僕は来ている。

1年前に、別の会場で世界大会の予選が開催された時、その会場に青希の姿はなかった。

予選とは言っても、世界大会の予選。そこには日本中から何百人ものダンサーがエントリーする。全員を躍らせていたら、いくら時間があっても足りない。だから、予選の予選がある。青希は、1年前、その予選の予選で敗退した。

その予選の数日前に、「行けそうな気がする。」を連発していた青希。

だから、落ち込んでいるだろう青希を励ますために、予選落ちした夜に自宅を訪れた。案の定、家に行くと青希は「悔しい。」を連呼していた。

その時、テレビには青希が撮影してきた予選の動画が流れていた。

映像を観て、しばらく見ない間に、青希がすごくうまくなっていることに驚いた。義足がネックだった立ち踊りもすごくうまくなっている。片足で、支える筋力がついたからだろう。

同じ予選に出ているライバルたちからも「おおー」という歓声が聞こえてくる。

そして、その歓声は徐々に大きくなり、最後はため息に変わった。

青希が最後に転んでしまったのだ。


「ああーー、悔しい。」

その映像を観ながら、青希がまたそう言った。


「なあ、大丈夫なの?」

青希に小声でそう言った。ゆうき君も一緒にその動画を観ていたからだ。
だけど、青希は転んだことを心配していると思ったのか、

「え？　大丈夫、大丈夫。ぴんぴんしてるし。」

と答えた。

「だけど、来年は、予選の予選は絶対突破して、世界大会行くよ！」

それから10分後、ケロッとしている青希に、

「ゆうき君、観てたけど大丈夫？」

と改めて訊いてみた。僕に子供はいない。だけど、かっこ悪い姿は子供に見せたくないものなんじゃないか？と思ったからだ。

「うん。見ててほしいんだ。

『恥ずかしい』は『かっこいい』に変わるって見せたいんだよ。」

『見ててね。』以前、青希は、ゆうき君にそう言っていた。

青希は、うまくいくまでやり続ける。恥ずかしくてもやり続ける。そして、かっこよくなるまでの過程をゆうき君に見せたいんだ。

そして、その言葉通り、青希は今年、予選の予選を突破した。

そして、今日、ここに立つ16人に選ばれた。日本のベスト16に。

そして、今日、溢れんばかりの観衆の前で青希は踊る。

☆

「たっつん!!　ここ！　ここ！」

指定された席に向かっている時、あさこさんの声が聞こえた。何度も会ううちに、いつしかあさこさんから「たっつん」と呼ばれるようになった。

はじめは驚いたけどまったく悪い気はしない。というか、むしろ心地よささえ感じている。僕は、いつも前向きで明るいあさこさんのファンになっている。

だけど、そのあさこさんも、今日は不安そうな顔をしている。あさこさんの左隣には、ナツちゃんとケンタ君とコウタ君の姿が見えた。

そして、あさこさんの右隣には、うつむいているゆうき君が見えた。

「嫌がってるのを、無理やり連れてきたのよね。」

おそるおそるゆうき君の隣の席に腰を下ろすと、あさこさんから耳打ちされた。

「ヨーヨーヨーヨー！　ワッツアップ！　トーキョー‼」

会場中の証明が暗くなり、中央のステージにスポットライトが当たっている。そこに、ジャージ姿のサングラスをかけたＭＣが立っている。

「盛り上がっていくぜー‼」

外国人かと思っていたけど思いっきり日本人だ。その途端に会場中を大きな歓声が包む。ゆうき君を見ると、さっきまでの不機嫌な表情から思いっきり不安な表情に変わっていた。

そして、その不安な表情は、時間が経つほどに濃くなっていった。

他のダンサーの踊りを見るたび僕の不安も大きくなっていった。動画サイトで最近のブレイクダンスを観ていたので、僕らの時代よりもレベルが高くなっているのはわかっていた。だけど、動画で観ていたはずのダンサーを生で観ると、別人のようにうまく感じた。

☆

「アオキ！」

5試合目で、ようやく青希の名前がアナウンスされた時、ほぼ泣き顔になっているゆうき君の顔が視界に入った。そして、その隣にいる僕も緊張し過ぎて顔が強張っていた。


アナウンスされた後に、青希がステージに向かって歩いてきた。

無名なこともあってか、他のダンサーよりも明らかに歓声が少ない。

そして、義足のせいで足を引きずりながら歩く姿が、スポットライトに照らされた時、その少ない歓声すらなくなってしまった。

曲が始まり、青希の対戦相手が踊り出した。

ブレイクダンスは対戦形式のダンス。だから、ほとんどのダンサーがお互いを挑発しながら踊る。

それにしたって、青希の対戦相手は挑発がしつこい。

足を引きずる青希の真似を繰り返している。さっきの試合まであれだけ盛り上がっていた客も引いている。だけど、青希に気にしている様子はまったくなかった。

…だけど、ゆうき君にはダメージ大だ。

そのゆうき君の目から大粒の涙がこぼれ出した。そして、うつむいてしまった。

気持ちはわかる。でもダメだ！　相手のダンスが終わり、青希の番になるところだ。それじゃあ、青希を観ることができない。


「あおきーーーー!!!」

思わず僕は叫んでしまった。周りの視線が僕に集中している。あさこさんもナッちゃんたちもこっちを見ている。

だけど、叫んで良かった。ゆうき君も顔を上げてこっちを見てくれたから。

ステージの方を指さすと、あさこさんもナッちゃんも、みんなも、そして、ゆうき君もハッとした顔をしてステージに注目した。そして、僕もステージに視線を戻した時、青希が微笑みながらこっちを見ていた。


青希が、踊り始めた。会場中が息を飲むのが伝わってくる。

さっきまで足を引きずっていた青希と同一人物だと思えない。まるで宙に浮いているようなステップが始まった。そして、ゆるやかだった動きが、目で追うのもやっとのスピード感溢れる動きに変わった。

ブレイクダンスは、どの曲がかかるか直前までわからない。それなのに、青希は最初からどの曲がかかるかを知っていたかのように、リズムと動きがピッタリ合わさっている。まるで青希のために曲がつくられているようだった。

曲の一部のように歓声が聞こえてきた。

そして、その歓声は青希が踊り終わると同時に、曲が聞こえないほどに大きな歓声に変わっていった。それ以外何も聞こえないほどの大歓声。

でも、僕には聞こえた。

「パパ、すごい…。」

ゆうき君がそう言っている声が。

「パパ、かっこいいね。」

ゆうき君に向かってあさこさんがそう言っている声が。

ゆうき君の目からは、さっきよりも大粒の涙がこぼれていた。

その隣で、あさこさんも同じくらい大粒の涙を流していた。

トレーナーで涙を拭いているゆうき君に渡そうと、ハンカチをポケットから取り出した。そのハンカチの上に、ボタボタと涙がこぼれてきた。

……いつのまにか、僕も泣いてしまっていたらしい。

☆

この日はずっと興奮しっぱなしだった。

そして、僕よりも興奮しているのがゆうき君だった。そのゆうき君の姿を見て、僕はさらに興奮した。

青希は勝ち進んだ。最初出てきた時に、あんなに小さかった歓声も、「アオキ！」とコールがかかるたびに、他のどの出場ダンサーよりも大きな歓声が上がった。青希は完全に観客を味方につけていた。

青希の決勝進出が決まった試合を見届けて、僕は慌ててトイレに走った。

休憩中に何度かトイレに走ったが、混み過ぎていて断念した。決勝での青希の対戦相手が決まる試合も観たかったけど、このままでは確実に漏らしてしまう。トイレに行くと、案の定、誰もいなかった。

ぎりぎりまで我慢していたせいで歯をカタカタ震わせながら用を足した。

「うぇーーーーー！　ゴホゴホゴホッ‼」

誰もいないはずのトイレに声が響いた。個室の方からだ。

酔っ払いかなと思いながら立ち去ろうとするけど、あいにく止まりそうもない…。

「あれ？　達也…。」

個室のドアが開く音と同時に、聞き慣れた声が聞こえる。慌てて振り返ると、個室から出てきたばかりの青希が立っていた。吐いていたのは青希だった。

「大丈夫か？」

「…いや、緊張してるだけだよ。」

安心したと同時に、青希でも緊張するんだと思った。

洗面所で青希と並んで手を洗いながら鏡越しに青希の顔を見ると、ひどくやつれている感じがした。ひどいプレッシャーなんだろう。

鏡越しに青希がそう訊いてきた。さっきまでステージ上で自信満々に踊っていた青希とは思えない不安げな表情をしている。

「大丈夫かな…。」

僕は、黙ってポケットからスマホを取り出した。

さっき撮ったばかりの写真を画面いっぱいにして青希の顔に近づける。スマホには、ゆうき君が写っている。青希のダンスを必死で観ているゆうき君が…。目がへの字になってて、えくぼが出てる。あの日、青希が言っていた〝わかりやすい笑顔〟のゆうき君が。

「『パパ、すごいね。』って。『パパ、すごくかっこいい。』ってゆうき君が言ってたよ。」

スマホを青希に近づけたまま、そう言った。

ほんの少しの沈黙の後、青希は、水やゴミが散らばっているトイレの床に膝をついて崩れ落ちた。

―ジャーーーー。

水は流しっぱなし。だけど、それをかき消すほどの大きな声でいい大人が泣いていた。でも、ちっともみっともなくなんかない。心からかっこいいと思った。

☆

「青希、そろそろ行かないと。」

数分後、すすり泣いている青希にそう伝えた。立ち上がった青希は顔を何度も何度もゴシゴシ洗って鏡を見た。その顔は、いつもの頼もしい表情に戻りつつあった。

「達也、ありがとう。」

2人同時にトイレから出たところで青希がそう言った。

「いやいや、ゆうき君に言いなよ。」

そう言うと会場に向かおうとしていた青希が、こっちを振り向いて首を振った。

「いつも、達也に助けられてるって意味だよ。」

思いがけない言葉に思わず首を振ると青希が言葉を続けた。

「昔、『大丈夫だよ。がんばって。』って言ってくれたこと。『関係あるよ。』って言ってくれたこと。そして、ずっと乗り越える姿を見せてくれたこと…。ダンスでも仕事でも、ゆうきのことでも…。くじけそうになった時、達也も立ち向かって乗り越えていることが、幸せになっていることが、おれの希望になっていたんだ。」

そう言った青希は、すっかりいつもの笑顔を取り戻していた。

僕が青希の希望になってる?…僕が幸せになることが青希の希望になってる?

「今度は、おれの番だね。見ててね。」

そう言って、青希はステージに向かって歩き出した。


「…見てるよ。」

ステージに向かう青希の背中に向かってそう呟いた。


僕が幸せになることが青希の希望になってる？

そんなこと考えたこともなかった。だけど、僕もそうだ。青希が幸せになることが僕の希望になっている。いや、きっと僕だけじゃない。ゆうき君も、あさこさんも、ナツちゃんたちも、青希の職場の人たちも…。

そして、その人たちが幸せになることで、またその人たちの周りに希望が生まれるんだ。そうやって希望も幸せも伝染していくんだ。

僕も、そうなろう。幸せになって希望になりたい。そばにいる人たち、これから出逢う人たち、青希にとっても。そして…、

「しっかり観てるよ！」

今度は、青希に聞こえるように大声で叫んだ。

こっちに背中を向けたまま、青希は力強いピースサインを返してくれた。

39. あなたが悲しいと、僕も悲しくて。あなたが嬉しいと、僕も嬉しくて…。

青希を見送った後、僕はスマホを取り出してＬＩＮＥを開いた。

昨日、部長とアカリ先輩と話した後、山田先輩にＬＩＮＥを送ろうとした。だけど、まだ途中だった。

――先輩、お久しぶりです。お元気ですか？

きっと先輩のことだから、楽しく幸せに活躍されていると思います。

先輩が起業すると聞いた時もそう言えれば良かった。それなのに、散々反対してごめんなさい。

あの時、僕は先輩のことを心配して反対しているつもりでいました。だけど、本当は違いました。ただ、先輩と離れたくないだけでした。

先輩は、起業しようと何しようとうまくいくとわかってました。ただ、僕は、そこに自分がいないことが寂しかったんです。

だけど、やっと気がついたことがあります。

もし、先輩が僕の反対を聞き入れてくれてたとしたら？　夢を諦めて会社に残っていたら？

僕は、嬉しくなんかなかったと思います。それどころか、きっと辛かったし、悲しかったと思います。――

昨晩書いたその文章を確認した後に、新しい言葉を打ち込んでいく。

――僕が最下位になって苦しんでいた時、僕よりも悲しそうな先輩を見ることが悲しかったです。僕が集客できた時、営業成績が上がった時、僕よりも嬉しそうな先輩を見ることが嬉しかったです。

だから、

先輩が悲しいと、僕も悲しいです。先輩が嬉しいと、僕も嬉しいです。

だから、きっと先輩の夢が叶ったら、僕も自分の夢が叶うほど幸せなんだと思うんです。

だから、がんばってください。夢を叶えてください。幸せになってください。

山田先輩が幸せになってくれることは、僕の希望になるから。――

送信ボタンを押しかけて、また言葉を付け加える。

――追伸：いつでも先輩の時間がある時に飲みに行かせてください。――

アナウンスが聞こえて我に返った僕は、慌てて走り出した。

希望に満ちている大きな大きな歓声の方へ。

エピローグ *Epilogue*

「…誰もが、言葉を受け取る側で、言葉を伝える側でもあります。大切な人から学び、また別の大切な人に伝える。親から学び、子供に伝える。逆に、子供から学び、親に伝える場合もあります。そうやって、言葉は私たちの世界を形作っていきます。

皆さんが適切に言葉を受け取ることで、皆さんは幸せになります。そして、皆さんが言葉を適切に伝えることで、周りを幸せにすることができます。

私の望みは、伝える側、受け取る側の両方の立場に立って、この話を役立てていただきたいということです。

きっとこの話の登場人物の中には、「過去のあなた」、「今のあなた」、「未来のあなた」、または、過去、今、未来の「あなたの友達」、「家族」、「お客さん」、または、「これから皆さんが出逢う人」と同じような状況が存在しているでしょう。

私は、この物語と同じように、皆さんの物語が、ハッピーエンドを迎えることを心から望んでいます。

そのために、言葉を大切にしてください。幸せになるためだけに言葉を受け取って、幸せをつくるためだけに言葉を伝えてください。

そうして、言葉によって、皆さんの幸せ、大切な人の幸せ、大切な人の大切な人の幸せをつくっていただきたいと願っています。

そうしたら、幸せが繋がっていくから。

皆さんのそばにいる人から笑顔が伝わって、いつのまにか同じ電車に乗っている人も、道ですれ違う人も、みんなが笑える世界が訪れます。そんな世界を一緒につくっていきましょう。

今日は、本当にありがとうございました。」

2時間の講演を終えた山田は、深々と頭を下げ続けた。そして、ステージを降りた。

その後も、拍手が鳴り止むことはなかった。

ステージから降りた途端、膝が急に震え始めた。その膝を押さえようとして、手も震えていることに気がついた。

それを見た山田は声を出して笑った。そして、笑顔のまま走って楽屋に向かった。

楽屋に着いた山田は、スマホをすぐに取り出した。

大切なあいつに、大切な今日をつくってくれたありがとうを伝えるために。

【僕の人生を変えた40の言葉たち】

——1．人って貢献したい生き物なんだと思うんです。

青希・85頁

——2．やりたいからやってたんでしょ？

青希・98頁

——3．どうすれば良いと思う？

青希・106頁

——4．好きになれないんじゃなくて、好きになるまでやっていないのかもよ。

青希・117頁

——5．悔しいってのは、がんばってないと抱けない感情だよ。成長できる、結果が出ると信じていたから悔しいんだと思うよ。

青希・117頁

――6. がんばるって我慢するってことじゃないはずなのに。苦労するってことじゃないはずなのに。がんばるって楽しいことのはずなのに、それを忘れていたんだ。だから、楽しめるがんばるをやろうって思ったんだ。

青希・123頁

――7. がんばってもがんばっても、結果が出ない。でも、それは、自分の能力がないってことじゃないって。才能がないってことじゃないって。ダメな行動をしていただけなんだって。仕事が好きになれない行動。結果が出ない行動を。成長できない行動を。そのせいで、自分はダメな人間、そう思い込んでしまっていただけだって。

青希・124頁

――8. 傷つかないように生きようとすると、傷つけるものを探してしまう。楽しむために生きようとすると、楽しいものを探すってことに。おれ、スタッフや入居者の人と揉めていた時に、いつも傷つかないように、その人の悪いところばっかり探してた。『この人は、こういう人だから気をつけよう。』って。でも、そうしているせいで楽しいものが見えにくくなっていたんだ。

青希・１３６頁

——9.「昔からできない自分だから。」と自分に思い込ませて「行動しない理由」にしていたんだ。

達也　１３９頁

——10.どうなりたいか？の先に、どう思われたいか？があるからね。

青希・１４４頁

——11.一番大事なのは、相手の話を聞いて、知ることなんだ…。

山田先輩・１５３頁

——12.お金があれば必ず幸せになるってわけじゃないんだよね。いくらお金があっても、人のためにならない仕事をしていたら幸せだって感じられないから。

山田先輩・159頁

――13．人って、今までの経験から、勝手に相手を決めつけがちなんだよ。売上至上主義の人におれは一度も会ったことがないんだよね。

山田先輩・163頁

――14．相手が言ってる言葉だけで相手を決めつけない方がいい。人って一度決めつけると、その理由ばっかり見つけちゃうからさ。

山田先輩・164頁

――15．どんな人と、どんなお客さんと出逢いたいか？　その人と、どんな時間を過ごしたいか？　そして、どうなってほしいのか？を知ることなんだ。

山田先輩・165頁

――16．人と関わりたくないと思っている人たちも、本当は関わりたいと思ってるんだ。

山田先輩・166頁

――17．死ぬまでに使いきれないお金を持っている人で、お金を持ってるからもう何もしないっていう人に会ったことがないんだよね。それどころか、積極的に人と関わろうとしてる。お金を得る方法とか、幸せになる方法を伝えようとしている人ばっかりなんだ。

山田先輩・168頁

――18．結果も大事。だけど、結果までの道のりで嫌な人とばかり過ごしていたら心がすり減ってしまう。

達也・169頁

――19．『誰と会いたいか？　どんな時間を過ごしたいか？　どういう姿を見たいか？』その積み重ねで、仕事はできている。

達也・170頁

――20．大事なのは、「自分が何を伝えるのか？」よりも、「相手の言葉をどう扱うのか？」ってことなんだ。

達也・１７１頁

――21．欲しいものを、欲しいって言わないと誰も何もできないんだ。

達也・１７３頁

――22．最初から、かっこよくできることなんてないんだよ。かっこよくできるようになるまでやるんだ。そうしたら、『恥ずかしい』は、『かっこいい』になれるんだよ。

青希・１９８頁

――23．人から聞いたことを実際に行動に移す。それができる人って意外と少ないんだよ。

青希・２０１頁

――24・人間は基本変わりたくないって本能があるらしいよ。だから、変わろうとする時に気持ちを無理やり高めるんだよ。まるで、100パーセントうまくいくって約束されているみたいにね。だけど、高めるから現実との落差に落ち込むことが多い。今までと違う行動をする時は、最初は前よりうまくいかなくて当たり前だよね。

青希・202頁

――25・最初からそんなに簡単にうまくいったら、面白くないじゃん。すべてが思い通りにいくなら、なんにも楽しくない。なかなかうまくいかないことがうまくいくようになるから面白いよね。

青希・204頁

――26・周りが自分を見捨てることなんてない。真っ先に、いつも自分が自分を諦める。

達也・206頁

――27．本当に迷惑をかけるのは、僕が自分を諦めることなんだね。

達也・207頁

――28．答えを持っている人全員が、正解をそのまま伝えられるわけじゃないってこと。山田さん本人が気づいていない、先輩のすごい当たり前を見つけてみなよ。

青希・209頁

――29．「会いたい人」の中から、「本気で役に立ちたい」「役に立てる」と確信した人たちに会おうとしていた。

山田先輩・215頁

――30．「僕は興味を持たれない人間なんだ。」と思い込むようになってしまっていた。だけど、違った。自分が相手に興味を持っていなかっただけだった。

――31．僕は、今まで人が怖かった。でも、それは知らないから怖かっただけなのかもしれない。

達也・２１７頁

――32．僕は「人を幸せにするための仕事」をしている人たちの役に立ちたい。その「どうなりたいか？」がわかったから、そのために、その人たちに「どう思われたいか？」が必要になるんだ。

達也・２１９頁

――33．「結果を出すための行動」を「結果が出るまで」やっていただけなんだ。

達也・２２４頁

――34．伝えたいことって経験からしか生まれないのかもしれません。だから、伝えたいことは、全部物語で伝えられるんですよ！

達也・２２９頁

35．言葉は、〝誰か〟に伝えるために存在している。その〝誰か〟がいるおかげで、伝わる言葉が生まれるんですね。

達也・２４１頁

裕子さん・２４４頁

36．達也は、自分のことをナメ過ぎだよ！　達也は、達也だけでできてるんじゃないんだよ。自分をナメてるってことは、山田先輩のこともおれのことも、今まで関わった人たちのこともナメてるってことだよ！

青希・２６２頁

37．みんなから教えてもらったことを、ちゃんと伝えていきたい。みんなが僕に、そうしてくれたように。

達也・２６３頁

38．過去の延長に未来があるわけじゃない。だから、過去に縛られちゃいけないって。

部長・２７２頁

―――39. 大事なのは、『どれだけがんばるか?じゃなくて、どれだけ幸せにするか?』なんだよね。

アカリ先輩・２７７頁

―――40. 先輩が悲しいと、僕も悲しいです。先輩が嬉しいと、僕も嬉しいです。だから、きっと先輩の夢が叶ったら、僕も自分の夢が叶うほど幸せなんだと思うんです。

達也・３０３頁

春明 力（はるあけ・ちから）

株式会社マインドプラス代表取締役。
長崎県西海市生まれ。幼少時、多くの失業者を目の当たりにしてきた経験から、「働く」ことにネガティブな思い込みを強く持つ。

26 歳の時、人脈も実績もないまま、貯金 20 万円で起業。東京北区十条の自宅キッチンを事務所代わりにウェブサイト制作業をスタートさせる。

起業から３か月間、顧客はゼロ。その後、営業活動に力を入れるも、邪険に拒否される日々が続く。仕方なく安売りでサービスを販売し、「安いから」という理由の顧客を抱えた結果、早朝から深夜まで働いたにもかかわらず月収５万円の日々が続くことに。さらに顧客からのクレームも多く、日々腹痛を伴うストレスに悩まされる。

「安さ」と「なんでもやる」ということしか見込み客に伝えていなかったことに気づき、「価値を届けるべき人へ届ける」ためにホームページの改善と、SNS をスタートさせる。テレアポ等の営業を一切やめ、SNS とホームページに集中し想いを伝えた結果、大好きなお客様だけを集客することに成功。起業から２年で事務所を恵比寿に移す。

その後、顧客の要望から講師活動を始める。経営者に向けて開催している経営スクールは現在 25 期。これまでスクールの参加者は、経営者を中心に 5000 人を超える。

2016 年からは作家業もスタート。現在は、講師業と作家業を行いながら、「伝えられる方法」「楽しく働く方法」を発信し続けている。

【著書】
ズルいほど幸運を引き寄せる 手帳の魔力（すばる舎）
起業のち晴れ（サンクチュアリ出版）

イラストレーション／門川洋子
校閲協力／新名哲明
編集協力／桜井栄一
編集制作 DTP・本文 design ／小田実紀

p211　JUN KAWAGUCHI© 123RF.com
p267　Ilya Postnikov© 123RF.com
装画　indomercy© 123RF.com

HSPサラリーマン

人に疲れやすい僕が、楽しく働けるようになったワケ

初版1刷発行 ● 2020年10月22日
　　2刷発行 ● 2022年1月20日

著者

春明《はるあけ》 力《ちから》

発行者

小田 実紀

発行所

株式会社Clover出版

〒101-0051 東京都千代田区神田神保町3丁目27番地8　三輪ビル5階
Tel.03(6910)0605　Fax.03(6910)0606　http://cloverpub.jp

印刷所

日経印刷株式会社

ISBN978-4-908033-96-4　C0030